Azul para las pesadillas

Azul para las pesadillas

◆

Laurie Faria Stolarz

ediciones jaguar
www.edicionesjaquar.com

Título original: *Blue is for nightmares*
© 2003, Laurie Farie Stolarz
Publicado por Llewellyn Publications.
www.llewellyn.com

© Traducción: Juan José Llanos

© EDICIONES JAGUAR, 2009
C/ Laurel, 23, 1º
28005 Madrid
jaguar@edicionesjaguar.com

ISBN: 978-84-96423-78-7
Depósito Legal: M-43558-2009

Impreso en España/Print   **36018056627193**

ÍNDICE

———◆———

Uno

Siempre es lo mismo. Es de noche y estoy en el bosque, buscando a Drea. Percibo el rumor del cuerpo de un hombre que me acecha en algún punto a mis espaldas. Las ramas que se quiebran. El crujido de las hojas. El viento que me silba en los oídos y me hace lagrimear. Y el dolor penetrante, desgarrador y lacerante en el estómago. Real.

Las pesadillas hacen que me aterre quedarme dormida. Sostengo el extremo inofensivo de la cuchilla con tres dedos para escribir. Acto seguido cojo la vela virgen y tallo las iniciales D.O.E.S. en el lado redondeado, mientras con cada incisión y cada pasada de la hoja se desmoronan de la superficie minúsculos copos de centelleante cera azul.

Son las iniciales de Drea, pero ella no sospecha nada, sino que sigue garabateando en su diario como cualquier otra noche, sentada en su cama, a escasos metros de distancia.

Tras la última voluta de la S dejo la cuchilla a un lado y saco del cajón una ramita de salvia. Es perfecta para quemar, las hojas están resecas, marchitas y grisáceas. Enrollo un trozo de cuerda a su alrededor para que la combustión sea más limpia y no despida tanto humo, de modo que tenga menos posibilidades de meterme en líos. Luego la arrojo en la vasija de arcilla anaranjada que hay junto a mi cama.

—¿Te vas a acostar? —pregunta Drea.

—En seguida. —Desenrosco el tapón de la botella de aceite de oliva y me echo unas gotitas en el dedo.

Ella asiente y bosteza, tapa la pluma estilográfica y cierra el diario.

–Pues hazme un favor y no le prendas fuego a la residencia. Mañana tengo que hacer una importante presentación de historia.

–Pues con más razón –bromeo.

Drea y yo somos compañeras de habitación desde hace poco más de dos años, de modo que está acostumbrada a rituales como este.

Se pone de costado y se tapa con las mantas hasta la barbilla.

–Será mejor que no te quedes despierta hasta muy tarde. ¿No tienes un examen de francés mañana?

–Gracias, mamá.

La observo mientras cierra los ojos, sus labios adoptan la posición del sueño y los músculos de sus sienes se distienden y se relajan. Me pone enferma. Aunque sea más de medianoche y no se distinga rastro alguno de maquillaje, ni siquiera un ápice de base; aunque tenga el pelo recogido con una cinta elástica, sigue teniendo un aspecto perfecto: las mejillas angulosas, los labios carnosos de color rosa salmón, el pelo dorado ensortijado y los ojos de felino con las sinuosas pestañas de color negro azabache. No me sorprende que la deseen todos los chicos de Hillcrest, ni que todas las chicas la odien, ni que Chad siga volviendo, incluso después de tres rupturas.

Toco el extremo superior de la vela con el dedo aceitoso.

–Tanto arriba –musito. Luego toco la base– como abajo.

–Me humedezco el dedo con más aceite y acaricio la superficie central. Arrastro el dedo hacia arriba, retrocedo hasta el centro y a continuación lo arrastro hacia abajo, teniendo cuidado de que las letras grabadas apunten en dirección mía para que ella no las vea.

–¿No sería más sencillo mojarlo todo al mismo tiempo? –apunta Drea, con los ojos abiertos, observándome.

Giro la vela en el sentido opuesto a las agujas del reloj, ocultando las letras con la palma de la mano, y continúo humedeciendo la circunferencia del mismo modo.

–Es probable, pero las energías se confundirían.

–Claro –responde ella al tiempo que se da la vuelta–, qué ignorante por mi parte.

Cuando la vela está completamente ungida la enciendo con una larga cerilla de madera y la deposito en el candelero de plata que me dio mi abuela antes de morir. Es mi favorito porque era suyo y porque tiene forma de plato, con un asidero ondulante que se enrosca alrededor de la base.

Cierro los ojos y me concentro en la luna menguante que hay fuera, en que esta noche es propicia para que todo acabe, en que la salvia y la vela grabada me ayudarán. Enciendo la rama y la contemplo mientras se quema; las hojas se arrugan y bailan en la llama amarilla anaranjada antes de ennegrecerse y desaparecer, así como rece serán mis pesadillas.

Cuando la salvia queda reducida a cenizas, llevo la vasija de arcilla al lavabo del rincón y la lleno de agua, observando las alargadas y sinuosas volutas de humo gris azulado que se elevan hasta el techo.

Vuelvo a la cama y pongo la vela en la mesita de noche, con las iniciales de Drea vueltas hacia mí. A continuación saco un bolígrafo negro del cajón y me dibujo una A mayúscula en la palma de la mano: A de abuela, para que esta noche sueñe con ella y con nada más.

Me deslizo bajo las mantas y contemplo cómo la vela quema las letras. Ya ha desaparecido la mitad de la D mayúscula de las iniciales de Drea.

Entonces cierro los ojos y me dispongo a dormir.

11

Dos

Estoy sentada a la mesa de la cocina frente a mi abuela, engullendo uno de sus célebres sándwiches de huevo a la plancha y una bolsa de patatas fritas rancias. La observo mientras rodea la magdalena con las manos y admiro el anillo de amatista que luce en el cuarto dedo, una gruesa piedra violeta que casi le llega hasta el nudillo.

–Toma. –Advierte que lo estoy mirando y trata de quitárselo del dedo. No hay forma. Se dirige al fregadero y se remoja las manos con agua y jabón para lubricar la piel.

–No pasa nada, abuela. No hace falta.

–Quiero hacerlo –insiste, desprendiéndose al fin del anillo y entregándomelo–. Póntelo.

Eso hago; me sienta de maravilla.

–Es tu anillo. Te lo compré cuando naciste. Solo te lo he guardado hasta que me parecieras lo bastante mayor. Mira las iniciales que hay dentro.

Me lo quito y le echo un vistazo: las letras S.A.B. están grabadas en el oro. Stacey Ann Brown.

–Es precioso –admito mientras se lo devuelvo.

–No –objeta ella–. Quiero que lo tengas tú. Me parece que es el momento adecuado. Además, te queda mejor que a mí.

Vuelvo a ponérmelo y le doy un beso en la mejilla.

–Gracias, abuela. –Le pido permiso para levantarme de la mesa y salir a tomar un poco de aire. Ya ha anochecido y el firmamento es un lienzo negro como la tinta salpicada de pequeñas pinceladas de luz. Una larga bocanada de aire semejante a una nube emerge entre mis labios y empiezan a castañetearme los dientes.

Oigo a alguien que está llorando al otro lado del patio. Me dirijo hacia el sonido y en seguida traspongo la cerca para adentrarme en el bosque. A cada paso el llanto se torna más sonoro e insistente.

–¿Drea? –exclamo–. ¿Eres tú? –Parece ella. Supongo que ha vuelto a pelearse con Chad y que ha intentado dar conmigo en casa de la abuela.

Corro hacia los sollozos con los brazos extendidos. Pero entonces me veo obligada a detenerme. Siento un dolor abrasador justo debajo del estómago. Me pongo las manos en el vientre, aspiro y espiro. Tengo que hacer pis.

Miro hacia atrás en dirección a la casa, pero ya no puedo verla debido a la espesura de árboles y maleza. Todo está oscuro. Hasta las pinceladas de luz que vi antes están cubiertas por ramas tenebrosas.

Un palo se quiebra en algún punto a mis espaldas. Después otro.

–¿Drea?

Me pongo la mano entre las piernas y me dirijo renqueando lo mejor que puedo hacia esa voz distante, eludiendo las ramas y los matorrales con una mano extendida. Siento que el suelo se convierte en fango bajo mis pies. Me frena hasta que me detengo del todo, intentando recuperar el aliento.

Aún oigo la voz de Drea, pero ahora está más alejada, en lo profundo del bosque. Procuro oír algo más, cualquier cosa que me indique si todavía me siguen. Pero solo se escucha el viento que mece las quebradizas hojas de noviembre y me silba al oído.

Doy un pasito y siento que el suelo se vuelve más profundo y que un insondable abismo de cieno viscoso se traga mi pie. Más palos se rompen a mis espaldas.

Intento salir del barro y escapar, pero cuando levanto el pie una de mis zapatillas ha desaparecido.

El dolor me abrasa el estómago. Lucho por liberarme. Me aferro a la rama de un árbol en busca de asidero pero acabo resbalando, me caigo de culo y el fango se filtra a través de mis pantalones.

Cuento hasta doce (el método uno Misissipi, dos Misissipi) y aprieto los muslos, pero que me moje es solo cuestión de minutos.

–Stacey –susurra una voz masculina desde algún punto de la negrura.

Cierro los ojos y sepulto la cabeza entre las piernas. El lejano llanto de Drea se convierte en un gemido. Ahora me está llamando por mi nombre.

–No puedes esconderte, Stacey –murmura mi perseguidor.

No puedo darme por vencida. Palpo el suelo en busca de una piedra o de un palo para protegerme. Encuentro una roca. No es muy grande, pero tiene el borde rugoso.

Arqueo el cuello hacia atrás para mirar al cielo, sabiendo que la estrella polar me guiará. Entrecierro los ojos y pestañeo con fuerza para encontrarla, pero es inútil. Todo vestigio de claridad se halla oculto más allá de las copas de los árboles.

Me arrastro hasta liberarme por completo del barro, me incorporo a duras penas, aferro la roca con la mano y camino unos segundos con los brazos extendidos, mientras los matorrales me arañan la cara como si fueran garras, y llego hasta un claro circular. Alzo la vista hacia donde se separan las copas de los árboles y diviso un pedacito de luna que se aproxima al cuarto creciente.

Un rumor procedente de los arbustos distrae mi atención. Miro hacia allí, pestañeo varias veces y vislumbro frente a mí la figura de un hombre entre dos árboles, a escasos metros de distancia. No se mueve, y yo tampoco, pero alarga el brazo, como para enseñarme lo que sostiene. Es una especie de ramo.

Aguzo la vista, valiéndome de la luz de la luna. Y entonces lo distingo con claridad: el tamaño, el color, el modo en que caen las hojas, abriéndose como si fueran campanas. Son lirios.

Sé lo que significan los lirios.

Corro lo más deprisa que puedo, Mis pies parecen un par de patines de hielo desiguales sobre hojas y palos.

Entonces me detengo, aprieto los ojos y siento que un verdadero gemido me desgarra la garganta. Mi pie descalzo. Alargo la mano para palparlo. Una fina rama se ha hundido hasta el fondo en el arco. Me muerdo la piel del dedo pulgar durante unos segundos hasta que consigo sobreponerme parcialmente al dolor. No puedo quedarme aquí. Tengo que salir. Tengo que darme prisa. Me dispongo a extraer el palo, pero la punzada del estómago no me permite inclinarme.

Rechino los dientes, junto los muslos y rezo para que todo acabe. Me humedezco los labios y aprieto las piernas con más fuerza. Con *más fuerza*.

Pero no es suficiente. El calor crece entre mis muslos. La parte delantera de mis pantalones se llena de humedad. Aprieto las piernas para contener el líquido de modo que mi perseguidor no me oiga, pero mis músculos se resienten debido al esfuerzo. Siento tensión en el rostro y los ojos se me llenan de lágrimas. No consigo contenerlo. El hilillo gotea entre mis muslos produciendo un repiqueteo sobre las hojas que hay debajo.

−Stacey −murmura él−. Conozco tu secreto. −La voz es lenta y gruesa. Su aliento está tan cerca de mi nuca que alargo la mano hacia atrás para ahuyentarlo.

Abro la boca para gritar, pero tengo la garganta obstruida, llena de tierra. Está por todas partes. En las aletas de mi nariz. En mis ojos. Me agarro la garganta para no asfixiarme y me percato de que sigo aferrando la roca con la palma de la mano. Hinco las uñas en sus surcos desiguales y la lanzo. Con fuerza.

Crash. El sonido del cristal roto colma mis sentidos. Y cuando se encienden las luces estoy sentada.

TRES

–¡Stacey! –exclama Drea, que ha saltado de la cama para encender la luz–. ¿Te encuentras bien?

Me pongo la mano en el cuello y me permito respirar, pues ya no tengo la garganta sofocada por la tierra. La ventana que hay frente a nuestras camas está rota y hay gruesos y dentados fragmentos de vidrio esparcidos por todo el suelo.

Miro a Drea, que ahora se ha sentado en el lado de mi cama, mirándome a la espera de una respuesta, una explicación.

¿Pero cómo voy a dársela si ni yo misma tengo la menor idea?

–Sí, estoy bien –respondo, mientras me pongo las mantas alrededor de la cintura sin separar las piernas.

–Las sigues teniendo, ¿eh?

No es ningún secreto que tengo esta pesadilla recurrente desde que empezó el curso, pero sí que mojo la cama debido a ella.

–Esperemos que no se haya despertado Madame Descarga.

Madame Descarga es el apodo que le hemos puesto en la residencia a la señorita LaCharge, la directora residente, porque cuando pasa se escucha un equívoco chapoteo procedente de sus pantalones y siempre huele a perro mojado. ¿Pero quién soy yo para reírme? Me gasto todo el dinero extra en incienso y extractos florales para disimular mi problemilla.

–¿Qué has lanzado? –pregunta Drea.

Miro al lado de la cama. La vela azul con las iniciales de Drea grabadas solo se ha consumido hasta la mitad, hasta la letra *O*. No me sorprende que el conjuro no funcionase como es debido.

–Debe de haber sido la roca de conglomerado de cuarzo –aventuro cuando reparo en su puesto desocupado junto a la lámpara.

–Espero que no se haya roto.

–El cuarzo es más duro que el cristal –afirmo–. Ya lo buscaré por la mañana.

Siento un alivio cuando Drea se levanta de mi cama para inspeccionar los daños. Cojo la manta de punto extra que hay al pie de la cama y me tapo las piernas y la cintura, preguntándome si las persistentes emanaciones del incienso y la vela bastan para enmascarar los terroríficos aromas que produzco bajo las mantas.

–Esto debería servir. –Drea saca de su tocador una de las viejas camisetas de *hockey* de Chad. Me pregunto por qué la conserva; hace un año que no salen. Pero puesto que solo la usa para llevar a cabo reparaciones domésticas, supongo que no debería sentirme demasiado celosa.

–¿Qué estás haciendo? –le pregunto.

–Tú mira. –Saca un puñado de horquillas para el pelo de su cómoda y se pone las sandalias con estampado de leopardo, las que tienen tacones de plataforma de diez centímetros–. Y tú decías que nunca encontraría la ocasión perfecta para ponérmelas. –Se dirige ruidosamente hacia la ventana y corre las cortinas anaranjadas. Sigue habiendo un hueco de quince centímetros entre ambas–. Esto es lo que te dan en un internado de veinte mil dólares al año: cristal barato y cortinas horteras que no encajan. ¿Sabías que en algunas residencias de Fryer School tienen *jacuzzis*? Si no estuviera en tercero probablemente me trasladaría. –Una ráfaga de viento irrumpe en la habitación, haciendo que un torrente de apuntes de literatura inglesa salga volando del tocador–. ¿Puedes recogerlos? –me pregunta.

Pero yo finjo no haberla oído y entierro la nariz en la A mayúscula trazada en la palma de mi mano, pensando que el conjuro no ha funcionado. Quiero a Drea como si fuera mi hermana, pero no deseo seguir soñando con ella. No quiero conocer el futuro antes de que suceda.

No quiero revivir lo que ocurrió hace tres años.

Contemplo la acuarela de la pared. Maura, la niña que solía cuidar, y yo estamos sentadas en un columpio en un porche de madera.

–¿Qué te parece? –pregunta Drea, refiriéndose al remiendo de la ventana. Ha cubierto el agujero por completo sujetando la camiseta de hockey de Chad a lo largo de ambas cortinas.

El cero de la camiseta de Chad me contempla como si fuera un mensaje subliminal.

Le hago un gesto de aprobación.

–Con un poco de suerte eso impedirá que entre frío, pero yo me arroparía esta noche. Quién sabe, a lo mejor llamo a Chad. Él me daría calor. –Enarca las cejas y sonríe.

Me pregunto si sabe lo que siento por él, si tan solo lanza estas pequeñas bombas para volverme loca.

–Sabes una cosa –añade–, tú limpias el cristal y mañana yo encargo la reparación. Seguro que podemos convencer a alguien para que lo cambie. Sobre todo si nos quejamos a los de seguridad. –Coge su bolso y comienza a inspeccionar su contenido. Es una marca de diseño que adquirió en Florencia durante las vacaciones de verano: dos tonos de marrón con pequeñas F mayúsculas impresas por toda la superficie. Saca una cartera con F impresas a juego y sujeta un par de dólares entre los dedos–. Voy a bajar al vestíbulo para pillarme unas cocacolas light. ¿Quieres venir?

–No, gracias. Voy a quedarme a limpiar los cristales.

Ella se encoge de hombros y se vuelve sobre sus tacones de plataforma. La observo mientras se marcha antes de salir a gatas de la cama. El tejido de algodón de los pantalones de chándal se ha adherido a la parte interior y posterior de mis muslos formando una cuña caliente y húmeda. Además, las sábanas de la cama están impregnadas, y un aroma amargo se eleva del charco que hay en el centro. Por muy asquerosa que sea la escena, cada vez me acostumbro más a ella, así como imagino que se acostumbran las madres a cambiar pañales sucios. Sin embargo, yo nunca había tenido este problema, ni siquiera de niña. Y lo que es peor, no soporto la idea de contárselo a nadie, ni siquiera a Drea.

Rebusco a toda prisa otro par de pantalones de chándal azules en los desordenados cajones de mi cómoda. Saco un par de vaqueros oscuros, una sudadera negra, dos pares de pantalones de pana y un jersey de lana hasta que al fin encuentro un par. Solo que estos son grises. Espero que Drea no se dé cuenta.

Me despego los pantalones de las piernas y los meto bajo la cama de una patada. Mi reflejo en el espejo de cuerpo entero que hay al fondo de la habitación me sobresalta. Una piel blanca salpicada de ojos, nariz y boca, un poco más pálida que mi clara complexión de siempre. Los ojos castaños surcados por finas venas rojas. El pelo que cuelga en oscuros mechones alrededor de los hombros; pelo que solía tener cuerpo y brillo y ser la envidia de todas mis amigas.

Me pongo de perfil y recorro mi propio cuerpo con la mirada, reparando en la cintura más bien pequeña, en el trasero que ha empezado a sobresalir y en las piernas, que no están ni mucho menos tan torneadas como el verano pasado, cuando me ponía los pantalones azules cortados. Me pregunto cuánto tiempo hace que no me miro en un espejo, cuándo se han producido todos estos cambios.

Pero ya lo sé. Me sentía mucho mejor y tenía un mejor aspecto antes de que volviese al colegio, antes de que empezase a tener estas pesadillas.

Me limpio las piernas lo mejor que puedo con una toallita húmeda, me pongo los pantalones de chándal grises y miro al zapatero que hay en el rincón del dormitorio. El par de zapatillas amarillas que llevo en la pesadilla me contemplan desde allí. En cada una de ellas hay una gruesa cuenta de madera ensartada en el cordón inferior, y engastada en la cuenta está la insignia de la neutralidad: las dos mitades de la luna unidas por una línea. Son mis zapatillas favoritas, pero a causa de las pesadillas no me las he puesto desde que empezó el curso.

Abro el cajón de la mesita de noche y saco un cono de incienso con aroma a almizcle y una botella de lavanda. El cono tiene aproximadamente la altura de mi dedo pulgar y desprende un aroma masculino cuando se quema. Me pongo unas gotitas de aceite en el dedo para humedecer la circunferencia del cono. Los aromas combinados apenas bastan para disimular el perfume que fabrico desde el comienzo del curso, y afortunadamente Madame Descarga no se queja.

Sé que debo darme prisa. Drea volverá en cualquier momento. Me pongo en cuclillas junto a la cama y cojo un puñado de bolsas de plástico. He adquirido la costumbre de llevarme un par de bolsas extra del supermercado cada vez que voy; ahora tengo un montón.

Arranco las sábanas sucias de la cama, descubriendo las bolsas de plástico que he puesto debajo a modo de funda para proteger el colchón. Están mojadas. Las arrebujo lo mejor que puedo, las meto bajo la mesita de noche y me apresuro a poner otras nuevas. La sábana bajera limpia me cuesta un poco más. A duras penas ajusto la primera esquina, y consigo hacer lo mismo con la esquina opuesta; voy a por la tercera, pero entonces la primera esquina sale disparada.

–¿Has vuelto a tener un accidente? –Drea está plantada en la puerta con los brazos cargados de Coca Cola light y barritas de chocolate provenientes de las máquinas del vestíbulo–. Odio que me pase eso. –Señala las sábanas de la cama con la cabeza y siento que se me congela el rostro–. Lo más difícil es sacar la sangre –prosigue–. Yo suelo mandarlas a la tintorería. ¿Por eso las has cambiado?

Asiento.

–Oda a los placeres de ser mujer.

Qué alivio. No lo sabe.

Mientras Drea ordena las recién adquiridas chucherías en una mini nevera que ya está atestada, meto las sábanas sucias debajo de la cama de una patada y termino de introducir la sábana limpia bajo las cuatro esquinas del colchón.

–Por lo que huelo, has decidido quemar un poco de incienso –dice–. Últimamente quemas mucho de eso.

Ignoro el comentario y camino descalza hacia los cristales rotos. Empiezo a barrerlos empleando un cepillo que no toca mi pelo desde hace días y mi cuaderno de matemáticas, sintiendo cierto orgullo al darle al fin buen uso a ambas cosas.

Llevo el montón a la papelera, pero me detengo antes de arrojarlo. Cierro los ojos con fuerza. Rechino los dientes. Escucho un grito felino que brota de mi garganta. El pinchazo me recorre la pierna y asciende por mi columna vertebral hasta hundirse en los hombros y en el cuello.

He pasado por alto un trozo de cristal. Levanto el pie y le doy la vuelta para mirarlo. El fragmento con forma de diamante todavía sobresale.

–Llamaré al centro de salud –sugiere Drea–. ¿Necesitas una ambulancia?

–No. Me parece que puedo sacarlo. –Me dirijo cojeando hacia la cama para verlo mejor. Veo el punto de entrada del fragmento. Se trata de un corte lateral, limpio. Aspiro una honda bocanada, agarro el punto que sobresale y extraigo el cristal del pie con un movimiento rápido. Es un trozo de color rojo brillante que todavía gotea.

–¡Aggg! –Drea se arroja de cabeza a la cama, sepultando el rostro en el mar de arabescos rosados estampados en la colcha.

–Necesito que abras mi cajón de conjuros –le digo–. Tienes que traerme una patata.

–¿Una patata? –Drea se asoma a los volantes de la cama.

–Por favor.

Ella aparta la mirada hacia el techo cuando pasa por mi lado para dirigirse al cajón inferior de mi tocador. Saca una sustanciosa Idaho Gold.

–Pártela por la mitad. Debería haber un cuchillo de plástico en la bandeja de plata que hay dentro.

–¿Debería preocuparme? –pregunta.

–Solo si no te das prisa.

Drea corta la patata cruda en dos mitades y me la entrega. Aprieto el centro blanco y húmedo contra la carne durante largo rato para contener la hemorragia, un antiguo remedio familiar que emplea hasta mi madre. Cauterizo la herida con unas gotas de zumo de limón y luego la vendo con un poco de cinta adhesiva del botiquín de primeros auxilios.

–¿Seguro que te encuentras bien? –insiste.

–Estoy bien. ¿Y tú?

–La verdad es que estoy un poco mareada –confiesa–. Déjame llamar al centro de salud.

–¿Para mí o para ti? –bromeo–. Son las dos de la mañana. Esto aguantará unas horas. –Me encaramo a la cama y recojo las mantas del suelo–. ¿Pero sabes lo que es raro?

–¿Más que lo tuyo con la patata?

–Ja, ja. –Cojo la vela medio quemada con las iniciales de Drea y la meto en el cajón de la mesita de noche–. En la pesadilla también me corto el pie.

–Hmmm –musita–. Pues *sí* que es raro. Pero a veces las pesadillas se hacen realidad.

Titubeo, deseando decirle algo, pero no lo hago. Aunque sé que tendré que decírselo pronto. Tengo que decírselo a alguien.

Cuatro

Son las 4:30 de la mañana cuando suena el teléfono de nuestra habitación. De todas formas estoy despierta, hojeando algunos ejemplares antiguos de la revista *Teen People* por millonésima vez, tratando de apartar mis pensamientos de los lirios de la pesadilla.

Agradecida, dejo de leer el horóscopo de diciembre del año pasado, pues el artículo de Tauro me recuerda el escaso éxito que he tenido en mi vida amorosa, y descuelgo el teléfono.

–¿Diga?

–¿Está Drea? –Una voz masculina desconocida, perezosa, amortiguada y distante.

Le echo un vistazo.

–Está durmiendo –contesto.

–Pues despiértala.

–Humm... no. Pero le diré que te llame a una hora normal. Ya sabes, cuando no haya gente durmiendo. ¿Puedo preguntar quién la llama?

–Un amigo.

–¿Puedes ser más específico?

Pero en lugar de responder, cuelga. Y yo también.

–¿Quién era? –farfulla Drea.

–Un tío que quería hablar contigo –le explico–. Pero no ha querido decirme cómo se llamaba.

Drea sonríe.

–¿Sabes quién es? –le pregunto.

–A lo mejor –admite.

–¿Quién?

–Solo es un tío con quien hablo.

El teléfono vuelve a sonar. Lo cojo.

–¿Diga?

Esta vez hay silencio al otro lado.

–¿Diga? –repito.

–Dámelo –dice Drea.

Se lo entrego y ella se da media vuelta, acurrucándose y hablando en susurros para que yo no la oiga.

A lo mejor Chad está disponible, después de todo.

Observo su camiseta colgada sobre la ventana rota y lo imagino con ella arremangada hasta los codos, ciñéndole los hombros. De pronto siento el impulso de levantarme, de hundir la nariz en el tejido y perderme en las delicias de las feromonas. Pero sé que Drea se mosquearía conmigo si me atreviese siquiera a acercar un dedo del pie en un radio de un metro de esa reliquia.

Después de susurrar durante varios minutos, Drea cuelga y yo continúo babeando frente a la camiseta.

–Bueno, ¿quién es ese tío? –le pregunto.

–Nadie –se ríe nerviosamente.

–¿Cómo que nadie?

–Es que no me apetece hablar de eso en este momento –responde.

–¿Por qué? ¿Qué tiene de malo?

–Vamos a dejarlo, ¿vale? No tiene importancia.

–De acuerdo –accedo, mientras hago caso omiso de una sarta de anuncios de champú de la revista. No tengo ni idea de por qué es tan reservada conmigo.

–La camiseta de Chad nos ha venido muy bien –comenta, cambiando de tema.

–¿Cómo es que todavía la conservas?

–No lo sé. –Se enrosca un mechón de pelo en el dedo y se lo pone sobre el labio superior a modo de bigote–. Es cómoda y sigue oliendo a él... la colonia suave que se pone, el olor de su piel después de ducharse.

–¿Crees que volveréis a estar juntos? –le pregunto.

–Naturalmente. Somos iguales en todo. Solo es cuestión de tiempo.

Me meto bajo las mantas y procuro conjurar su aroma. El día en que nos atiborramos de pasteles de cereza en el concurso de otoño de Hillcrest. Las tardes que pasamos buscando piñas para un proyecto medioambiental de ciencias, o limpiando el campus el día de la Tierra. La vez que estuvimos a punto de besarnos... y acabamos haciéndolo. Pero de alguna manera, por alguna razón, aunque me hierve la sangre en las venas con solo pensar en todas esas cosas, no consigo recordar su olor, el aroma voluptuoso y sexy al que Drea se refiere.

Llaman a la puerta.

–¿Alguien ha llamado al servicio de habitaciones?

Es Amber, nuestra amiga del piso de arriba. Cojeo hasta la puerta para dejarla pasar, pues todavía me escuece el pie debido al corte del cristal.

–No podía pegar ojo –explica, abriéndose paso a empujones–. Como pasaba por aquí y estabais charlando se me ocurrió unirme a vosotras.

–Qué suerte tenemos –observa Drea.

–Ay, Dios mío. –Amber cruza los brazos en el pecho–. Aquí hace un frío que te cagas.

–Hemos tenido un accidente. –Drea señala la ventana.

–Qué perrada. –Amber echa una ojeada al remiendo de la camiseta durante aproximadamente, medio segundo.

—Amber, son las 4:40 —intervengo—. ¿Qué haces levantada?

—Tengo hambre. ¿Tenéis algo de comer, chicas? Estoy famélica. —Se dirige bailando a la mini nevera de Drea y los zapatos de color rosa y verde estampados en su pijama de lana la acompañan dando brincos. Hace una mueca de asco ante el surtido del interior: arquea levemente la lengua, que se asoma por la comisura de los labios, entrecierra un ojo y pone el otro en blanco, pero luego saca una barrita de granola—. Bueno, ¿y vosotras qué hacéis levantadas?

—Estamos levantadas —comienzo— porque un tipo raro ha llamado a Drea, pero ella no quiere hablar de ello.

—¿Quién era? —pregunta Amber.

—Solo era un tío —contesta Drea.

—Vamos, Dray, puedes hacerlo muchísimo mejor —protesta Amber—. Información, por favor.

—No hay información. Solo es un tío con quien hablo. Eso es todo.

—¿Así que Chad es historia? —pregunta Amber, mientras se enrosca una de sus coletitas anaranjadas en un dedo con la uña pintada de azul violáceo.

—Historia, nunca.

Cojo la mochila del colegio que está hecha un guiñapo en el suelo junto a mi cama, y saco una baraja de cartas del compartimento lateral.

—Oh, Stacey —empieza Amber—, dime que vas a hacer un conjuro amoroso. Yo me apunto. Ha pasado algún tiempo, ya me entiendes.

—Oh, por favor —rezonga Drea.

—Diviértete un poco, ¿quieres? Tienes dieciséis años, estás en la flor de la vida, en un internado mixto con una proporción de cuatro chicos por cada chica. Aprovecha, ya me entiendes.

–Para que lo sepas, yo me divierto mucho –replica Drea.

–Ya lo sé. Lo he leído en la pared del servicio de los chicos.

–¿Qué hacías tú en el servicio de los chicos? –pregunto.

–Estaba escribiendo cosas sobre mí. Los chicos tienen que enterarse de que sigo en circulación.

–A lo mejor tendrías más suerte si pusieras un anuncio en la valla de la carretera 128 –sugiere Drea–. ¿Cuánto tiempo ha pasado desde tu última cita?, ¿un año?

Amber le saca la lengua, revelando una boca llena de granola.

–Seis meses, para que lo sepas. Casi tanto como desde que rompisteis Chad y tú. Dios, lo vuestro fue hace un siglo.

–Cómete la granola –masculla Drea.

–La granola no basta para mantener cerrados estos labios –contesta Amber–. Oye, si no vais a hacer un conjuro amoroso me marcho. Tengo que pintarme las uñas de los pies.

Le miro las uñas de los pies: rostros risueños de color rosa y azul desprovistos de ojos que lucen sonrisas medio ajadas. Amber acaba llevándose un frasco de quitaesmalte de mi escritorio y luego saquea la nevera de Drea en busca de una barrita de Snickers y dos latas de Coca Cola light antes de marcharse.

Entre tanto, como estoy bastante segura de que esta noche no voy a pegar ojo y ya he barajado las cartas, cuando Drea me pide que le haga una lectura debería negarme pero no lo hago.

Nos sentamos en mi cama con las piernas cruzadas, colocando las cartas entre nosotras y encendiendo gruesas velas de color púrpura en las dos mesitas de noche. El reglamento estipula que no se deben encender velas ni incienso en la residencia, pero lo cierto es que de todas maneras nadie le presta atención. Además, de ordinario Madame Descarga está demasiado atareada para percatarse siquiera viviendo por cuenta ajena a través de los concursantes de *Cita a ciegas,* que resuena desde el televisor portátil del vestíbulo.

–Corta la baraja en tres montones –digo– y formula un deseo antes de hacer el tercer montón.

–¿Para qué sirven las velas de color púrpura? –pregunta ella.

–Para la clarividencia. –Contemplo mi anillo de amatista, recordando que he soñado con él, que mi abuela me lo dio cuando tenía doce años, justo antes de morir.

Drea hace los montones y yo cojo siete cartas de cada uno para formar una pila.

–Para ti –anuncio al poner boca abajo la primera carta–. Para tu familia –continúo, depositando la segunda junto a ella. Pongo otras cuatro cartas boca abajo y enuncio las categorías–. Para tu deseo. Para lo que esperas. Para lo que no esperas. Para lo que, sin duda, se hará realidad.

–¿Por qué no utilizas cartas de tarot? –pregunta Drea.

–Porque no son tan sinceras. Mi abuela me enseñó a leer los naipes, así como su tía abuela le enseñó a ella. Del modo *auténtico.*

Pongo las cartas restantes encima de las otras, formando montones de tres y cuatro. Quedan dos cartas, que dejo a un lado.

–Estas son tus cartas sorpresa.

Le doy la vuelta al montón del deseo para descubrir un nueve de picas, una jota de corazones, un dos de tréboles y un tres de picas, y siento que las comisuras de mis labios se tuercen hacia abajo.

–¿Qué pasa?

–Has pedido un deseo sobre Chad.

–¿Cómo lo sabes?

Señalo la jota de corazones.

–Hay un joven rubio junto al nueve de picas.

–¿Qué significa el nueve de picas?

–Decepción. El dos de tréboles me dice que va a invitarte a ir a un sitio. Pero te decepcionará en el último momento.

–¿Y el tres de picas?

–El tres de picas es para las lágrimas.

–Hay una sorpresa.

Pongo el montón del deseo a un lado, boca abajo.

–¿Quieres que siga?

Ella asiente.

Cojo el montón de lo inesperado y descubro las tres cartas desvelando un as de tréboles, un cinco de tréboles y un as de picas.

Siento que se me hiela el rostro.

–¿Qué?

–Nada –respondo al tiempo que les doy la vuelta.

–Pues si no significa nada, dímelo.

–Ten cuidado, ¿vale?

–¿Que tenga cuidado con qué?

Pero no puedo contestar. No puedo pronunciar las palabras, como si de ese modo pudieran hacerse realidad.

Drea aparta la mirada para evitar el contacto visual, como hace siempre que no consigue lo que se propone.

–De acuerdo, olvídalo –refunfuña–. No me lo digas. No tengo tiempo para juegos.

Me concentro durante un instante en la llama de la vela, siguiendo con la mirada una gota de cera que resbala por el costado. No sé qué decirle, cómo decírselo, ni si debo hacerlo.

Vuelvo a descubrir las tres cartas y las separo con los dedos. Trago saliva con dificultad, intentando a toda prisa idear algo que suene convincente. Pero en cambio digo:

–Ten cuidado, no vayas a decir algo de lo que te puedas arrepentir.

La expresión de su rostro se transforma en un interrogante.

–¿*Qué?*

–Ya sabes, ten cuidado con lo que dices. –Mi voz se quiebra.

–¿*Que tenga cuidado con lo que digo?* ¿Lo dices en *serio?*

–A lo mejor discutes con alguien por eso. Alguien cercano a ti.

–Pero si ya lo hago –exclama–. Vaya, Stacey. Eres una auténtica mística. Deberías abrir una tienda y ponerte a cobrar a la gente. –Baja las piernas por un lado de la cama–. Tengo que revisar mi email.

Odio tener que mentirle, pero es mejor que decirle la verdad. Ni siquiera yo quiero afrontarla. Recojo las cartas, pero dejo a un lado el montón que Drea había hecho para "lo inesperado".

–¿Por qué me habrá mandado esto Chad? –Drea se vuelve desde su ordenador.

–¿De qué se trata?

–Es un extraño enlace sobre canciones infantiles. Es "La casa de Jack[1]".

Lo miro con ella. Un hombre animado por ordenador vestido con un mono de trabajo y un cinturón de herramientas coloca, con movimientos comperrarizados, unos largos tablones de madera formando una casa. En cuestión de segundos, la construcción está acabada y el hombre comienza a pintar el exterior de un color beige cremoso.

–Esto es distinto –comenta Drea.

Cuando termina de pintar, un gato de color blanco perla se arroja desde la repisa de una ventana para perseguir a una rata por

---

(1) N. del T.: *The House that Jack Built,* canción infantil británica muy popular cuyo origen se remonta al s. XVI.

el porche delantero. El hombre se enjuaga el sudor de la frente y clava el toque final: un reluciente rótulo dorado de bienvenida en la puerta principal.

Drea pincha en él. Una mujer con aire de abuela ataviada con un largo vestido de color melocotón y un delantal con volantes, sale al porche delantero y saca del bolsillo del delantal un delgado libro rojo titulado *Canciones infantiles*.

–Esta es la casa de Jack –empieza–. Esta es la rata que se comió la cebada que había en la casa de Jack.

–Alguien tiene un extraño sentido del humor –digo.

La metálica voz prosigue.

–Este es el gato que mató a la rata que se comió la cebada que había en la casa de Jack.

–Qué raro es Chad –se ríe Drea–. El otro día le dije que me cuesta conciliar el sueño. Supongo que esta es la idea que tiene de un cuento. Ya sabes, para que me duerma. Qué dulce es. –Cierra la página y comprueba los mensajes restantes–. Algo de Donovan –anuncia, leyendo la pantalla–. No va a ir a clase de salud y me pide que le deje los apuntes. –Teclea una breve respuesta y se la envía.

–Ya sabes que no es más que una excusa –le digo mientras vuelvo a la cama–. Probablemente solo falta a clase para que le dejes los apuntes. Como si los apuntes de salud tuviesen la menor importancia.

Drea sonríe; sabe que es cierto.

–No hay nada más de Chad –suspira.

–¿No te parece que "La casa de Jack" es suficiente para una noche?

–Supongo. Supongo que echo un poco de menos que me mande un email de buenas noches. –Se deja caer en la cama y se arrastra bajo las mantas–. Buenas noches –dice.

—Querrás decir buenos días. —Meto las cartas de Drea en el cajón de la mesita de noche y me tapo con las mantas hasta los hombros. Aún nos queda hora y media hasta que suene el despertador. Una hora y media que yo pasaré contemplando el techo, pensando en la lectura de cartas de Drea y en lo que no le he dicho, lo que no he podido decirle.

Ahora sí que no *habrá* manera de que pegue ojo.

Cinco

Francés a tercera hora. Me siento en la silla, hinco los dientes en la goma del lapicero y hojeo las cuatro páginas del examen. ¿El subjuntivo de *pouvoir*? ¿El pasado condicional de *aller*? ¿Madame LeRonquido[2] está hablando en serio? Había dicho que iba a ser fácil.

La sala está tan silenciosa como una iglesia mientras la traidora se pavonea entre los pupitres para llevar a cabo una última inspección de chuletas, probablemente riéndose para sus adentros al contemplar mi cara sudorosa, crispada por una absoluta confusión.

Mientras se dirige al otro lado de la sala PJ, que está sentado a mi lado, y Amber, que está dos sillas más adelante, intercambian silenciosas carcajadas cuando reparan en el refulgente tinte azulado que Madame luce hoy en su pelo. Una emergencia Clairol, sin duda. Aunque no sé por qué PJ lo encuentra divertido. Se tiñe las puntas del pelo con más frecuencia que los camaleones cambian de color. Hoy se ha decidido por unas espirales de camuflaje a juego con su esmalte de uñas.

–Quedan diez minutos –anuncia Madame Lenore–. Stacey, deja de soñar despierta.

Pestañeo para apartar la mirada de la fea maceta de arcilla que hay encima de su escritorio; según nos ha asegurado, se trata

---

(2) N. del t.: juego de palabras intraducible. En el original, *LeSnore* es una sátira del nombre de la profesora, Lenore.

de un regalo de un antiguo alumno que *apreciaba los valores de la disciplina y el esfuerzo*. Traducción: un auténtico pelota.

PJ pone su examen en el borde del pupitre y lo ladea en mi dirección. Pero lo único que distingo son los garabatos en miniatura de los personajes de tebeo que ha dibujado en las esquinas, jugando a las cartas y comiendo hamburguesas de queso.

–Trabajo individual, por favor –espeta Madame. Arranco la goma del extremo del lapicero de un mordisco y siento que se aloja en mi garganta. Un lanzamiento reflejo: el sucio pedacito de color rojo sale disparado de mi boca hasta el pelo a prueba de balas de Verónica Leeman. Me dispongo a balbucear una disculpa, pero con tanta laca y fijador ella ni siquiera se da cuenta.

PJ se mece hacia delante y hacia atrás, prorrumpiendo en carcajadas silenciosas mientras se agarra el estómago con las manos.

–Eres la leche –murmura.

Me parece que Verónica se percata de la burla porque se gira y le hace un corte de mangas.

Yo, en cambio, estoy demasiada cansada para reírme. Necesito dormir más de lo que necesito este examen. Además, intentar siquiera rellenar cualquiera de estos espacios en blanco es un desperdicio de excelente mina de lapicero. De todas formas, después de clase le suplicaré a Madame que me deje repetirlo. ¿Para qué malgastar aliento y material escolar?

De repente, siento que se me cierran los ojos y tengo que luchar, literalmente, para que no se me vaya la cabeza hacia atrás. Me enderezo un poco en el asiento, esperando que el respaldo de la silla me ayude a mantenerme erguida, con aire atento.

PJ sigue riéndose, ahora de forma audible. Su boca está completamente abierta y su lengua teñida de verde por las golosinas, emerge de ella retorciéndose como una serpiente furiosa. Estampa el puño en el pupitre, presa de un ataque de histeria, pero al parecer nadie le presta atención. Ni siquiera le miran.

Yo no dispongo de tiempo para obsesionarme con la cuestión de la injusticia en las aulas porque de pronto... me dan ganas de hacer pis. ¡*Muchas!* Me pongo las manos en el estómago, cruzo las piernas y siento que una gotita de sudor corre por mi frente. Levanto la mano pidiendo permiso para levantarme, pero Madame se limita a burlarse de mí. Se sienta en la parte delantera del aula y empieza a corregir mi examen, aunque todavía no se lo he entregado, aunque este siga sobre mi pupitre, mirándome en blanco. Sin embargo, parece que esta contrariedad, aparentemente manifiesta, no le impide corregirlo, porque lo siguiente que sé es que lo está levantando para que todos lo vean: hay un gigantesco *cero* rojo estampado en la parte superior.

Cuando PJ lo ve, se le llena aún más la boca de carcajadas, y la lengua de serpiente sale de su boca retorciéndose y contorsionándose, tratando de liberarse. Madame hace un avión de papel con el examen y me lo arroja. El avión describe varios círculos por la sala pero finalmente aterriza en el centro de mi pupitre. Desdoblo los pliegues y parpadeo ante la masa de palabras escritas con grandes letras de molde rojas en el papel:

TÚ MATASTE A MAURA Y DREA SERÁ LA PRÓXIMA.

–¡No, yo no lo hice! –exclamo–. ¡Yo no la maté! –Mi propio alarido me despierta y todos están... mirándome fijamente. Tardo un segundo en juntar todas las piezas, de algún modo me he quedado dormida, aquí mismo, en medio de clase.

Miro mi examen. Continúa en blanco, pidiéndome los tiempos subjuntivo y condicional. PJ me toca el antebrazo con una mano rodeada de ruidosas pulseras, pero hasta eso me sobresalta.

–¿Stacey? –dice Madame. Se levanta del escritorio y me recorre con la mirada, como si esperase encontrar algún defecto físico.

No tengo ni idea de qué decir. Un brote de risitas surge del rincón trasero del aula.

–Alumnos, seguid trabajando, por favor –dice Madame–. Stacey, ¿te encuentras bien?

Asiento.

Más carcajadas; ahora de Verónica Leeman y sus petulantes amigas.

–Espero que esto no haya sido una especie de broma. –Madame las mira y luego me mira a mí.

Niego con la cabeza.

–¿Por qué no me entregas el examen y vas al despacho? *Ahora mismo.*

Las patas de la silla arañan el suelo de linóleo cuando me separo del pupitre. Me gustaría escabullirme de una forma tan furtiva como la lengua de PJ, pero no puedo. He de darme prisa o no llegaré a tiempo al cuarto de baño. Los ojos de toda la clase, excepto los de Amber y PJ, vuelven a regañadientes a sus tiempos verbales franceses sin sentido. Me dirijo a la parte delantera del salón y le entrego el examen en blanco a Madame. Ella no dice nada más y yo no puedo hacerlo. Solo puedo salir de la sala resuelta a poner fin a lo que va a suceder. Tengo que salvar a Drea y enterrar a Maura en mi cabeza para siempre.

Seis

La cena de esta noche tiene una pinta asquerosa. Pero como me he saltado la comida después de la clase de francés, mortificada por lo sucedido, estoy dispuesta a comer casi cualquier cosa. Cojo una de las bandejas de color amarillo limón de la pila, arrojo un puñado de cubiertos encima y echo un vistazo por encima de la hilera de cabezas de la cola para tratar de descifrar lo que es la papilla grisácea que están echando a paladas en los platos. Empanada de pastor: trozos de hamburguesa grasienta mezclados con un batiburrillo de maíz dulce aguado y guarnición de puré de patatas que parece de plástico. *Qué* asco.

Verónica Leeman está delante de mí en la cola. Busco la goma de mi lapicero en su pelo pero no consigo encontrarla en toda esa masa. Maldita sea. Se da cuenta de que estoy detrás de ella y me mira como si yo fuera un bicho aplastado.

Verónica Leeman es una de las pocas personas en el mundo a quien me encanta odiar. En primero organizó una tirada de libros en mitad de la clase de álgebra. A las 12:01 todos, exactamente todos, excepto ella y sus tres amigas clónicas, dejaron caer sus libros. Sus amigas y ella misma se quedaron sentadas en su pupitre, con las manos entrelazadas y la cabeza inclinada, fingiendo estupefacción. El resultado: el resto de la clase, incluyéndome a mí, fuimos castigados durante una semana, condenados al adormecimiento cerebral por parte del señor Milano, el profesor de biología, quien decidió que nos haría bien escuchar durante

41

horas sus disertaciones sobre el tema de su tesis: los hábitos de apareamiento de los reptiles.

La cola avanza y Verónica y yo somos las siguientes. Observo que hace una mueca ante la selección de comida.

—¿Empanada de pastor? —pregunta la señora del comedor, sosteniendo un cucharón de helado lleno de aquel grumoso revoltijo sobre el plato de Verónica, haciendo ademán de servirle.

—Es asqueroso —rezonga Verónica, negando con sus rojas uñas postizas, como si fueran una señal de stop—. ¿Quién va a comerse esto?

—Ahora, tú —responde la señora del comedor.

—Me parece que no. Soy vegetariana.

La mujer le echa un poco en el plato.

—Pruébalo.

—¿Es que no me ha oído? Soy vegetariana. Ve-ge-ta-ria-na. Y no como a-ni-ma-les. ¿Qué palabra es la que no entiende?

La señora del comedor vuelve a depositar el plato de cerámica en el mostrador y le entrega a Verónica un sándwich envuelto en celofán con la etiqueta: ATÚN.

—¿Desde cuándo el pescado no es un animal? ¿No tiene ensalada?

—Solo maíz y puré de patatas.

—Vale. Pues tomaré eso.

Una salpicadura de zumo de maíz se estrella contra la mejilla de Verónica cuando la señora del comedor vierte el engrudo amarillo en el plato con el cucharón. Qué escena tan perfecta.

—Muchas gracias. —Verónica deja caer el plato en su bandeja y se marcha.

Yo acepto el sándwich de atún que ella ha rechazado y me siento en una mesa en un rincón del comedor donde se reúnen los chicos del club de teatro. No es mi sitio habitual, pero quiero un poco de paz y tranquilidad y sé que ellos estarán demasiado absortos en discusiones sobre si a Hamlet le ponía o no su madre para que les importe mi episodio en clase de francés. Además, sentarme aquí también me brinda la oportunidad de juntar todas las piezas.

Primero reflexiono sobre las cartas. Dicen que Chad va a invitar a Drea a ir a un sitio pero que se echará atrás en el último momento, aunque a decir verdad eso no es nada nuevo. *Ambos* han jugado activamente al "tú la llevas" amoroso desde que los conozco.

También sacó el as de tréboles, que se refiere a una carta que va a recibir; el cinco de tréboles, que se refiere a un paquete. Pero la carta que más me asusta es el as de picas, la carta de la muerte, que se plantó firmemente entre ambas.

Es la carta de la muerte, al igual que los lirios.

Rompo el sándwich en trocitos pequeños, recordando que en una ocasión, en Semana Santa, la abuela se puso hecha una fiera cuando un vecino trajo un ramillete de lirios para el centro de mesa. Acabó cortando las flores de los tallos y metiéndolas todas en el triturador de basura. Al día siguiente me llevó a una floristería y dedicó lo que se me antojaron horas a hablarme de las flores y su significado; por ejemplo, me explicó que los lirios representan la muerte.

El hombre de mi sueño sostenía un ramo entero.

¿Y el olor de la tierra? La fragancia era muy potente en la pesadilla; casi puedo olerla ahora, con solo pensar en ella.

–Ey, Stacey. –Chad deposita su bandeja frente a la mía. Está cargada con la cantidad acostumbrada: tres sándwiches de jamón, dos bolsas de patatas onduladas, un envase de dos pastelillos con confitura amarilla, tres cartones de leche, una manzana y un plátano.

No suele sentarse con nosotros en el comedor. Como es el goleador estrella del equipo de hockey de Hillcrest, suele pasar la mayor parte del tiempo con sus compañeros de equipo. Sospecho que quiere algo.

–Ey, Stace. –dice Drea, sentándose a su lado.

Amber y PJ se unen a nosotros, sentándose a ambos lados de mí. Hay un silencio sepulcral, pero no obstante percibo la risa que se acumula dentro de ellos, como una botella carbonatada a punto de estallar.

–Vale –digo–. Vamos a oírlo.

–¿Oír qué? –pregunta PJ–. ¿Qué te pasa, Stace? Pareces un poco cansada. ¿Es que no has dormido suficiente en clase de francés? ¿O es que estabas demasiado ocupada matando gente?

Risotadas liberadas, un estallido carbonatado. PJ y Amber chocan la mano por encima de mi cabeza.

–Qué gracioso –rezongo–. Últimamente no duermo bien y he echado una cabezada en francés. ¿Qué culpa tengo yo?

–En serio, me parece que tienes que hablar con alguien, Stace –sugiere Drea–. A lo mejor un terapeuta de desórdenes del sueño o algo así.

–Y por si eso fuera poco –empieza PJ–, segundos antes de dormirse, se pone como la niña del exorcista y echa la pota en el pelo de Ronnie[3] la presumida.

–Era una goma de lapicero –lo corrijo–. Y no la poté, la escupí.

–Como si eso marcase alguna diferencia.

–Hablando de... –Amber señala la mesa de la derecha. Verónica está allí sentada con sus amigas, señalándonos a PJ y a mí y emitiendo ese agudo graznido de instituto que ella llama risa. Se concentra en PJ, hace el signo de «pe de perdedor» con los dedos y se lo pone sobre la frente. Las ratas de sus amigas la secundan.

PJ se concentra en su almuerzo, fingiendo que eso no le molesta.

---

(3) Roonie, diminutivo de Verónica.

–¿Estás de *coña*? –pregunta Amber–. No te achantes. Échale una bronca a esa perra. Stacey, échale uno de tus conjuros para que engorde.

–Todos los conjuros que hago vuelven a mí por triplicado. Me parece que ya he engordado bastante este trimestre.

–Tienes toda la razón –observa Amber, echando una ojeada a mi cintura.

Amber puede ser una auténtica perra.

–No merece la pena. –PJ se sirve un poco de refresco de naranja en la leche, un ritual cotidiano que afirma que es delicioso, y se la bebe con tragos audibles–. Pero la odio. Ojalá la palmase.

–No lo dices en serio –protesto.

–¿Cómo lo sabes?

Supongo que no lo sé. Es que se me hace raro oírle hablar así de alguien. PJ se niega a ahuyentar a las moscas por temor al castigo kármico; el año pasado lo pillaron intentando liberar al conejo de la señora Pinkerton de su jaula del laboratorio de química.

–Hablando de la muerte –comienza Amber–, soñar que matas a alguien en medio de clase es un poco friki, ¿no te parece, Stacey? –Abre su sándwich de mantequilla de cacahuete y recubre el interior de patatas fritas con sabor a barbacoa.

–¿Crees que tiene algo que ver con las pesadillas que tienes? –Drea arrima su silla a la de Chad.

–¿Pesadillas? –PJ se vuelve hacia mí–. No sabía que tenías pesadillas. Qué caña. Cuenta.

–¿Acaso no debía mencionarlo? –pregunta Drea.

–Por qué no –interviene Amber–. Todo el mundo sabe que a veces Stacey ve cosas de la gente en sueños. Estoy esperando que vea cosas de mí. Como por ejemplo, cuándo debo esperar que Brantley Witherall me dé un toque.

—Me parece que ya te han toqueteado bastante este año —comenta Drea.

Amber le saca la lengua como los lagartos a modo de represalia, descubriendo un *piercing* barbell de 7 mm.

—A lo mejor ya me ha llamado. —Saca un teléfono móvil de la fiambrera de Hello Kitty que usa como bolso. Pulsa los botones, esperando a que funcione.

—Déjame adivinar —dice Drea—. No tiene batería.

—¿Por qué siempre me olvido?

—Porque te llamas Amber. —Drea trincha un dado de tomate con el tenedor y se lo lleva a la boca—. Guarda el teléfono antes de que nos metamos todos en un lío.

La señorita Amsler, nuestra profesora de gimnasia, está de guardia durante la cena esta noche, pero por suerte está demasiado interesada en el líquido que está sirviendo la señora del comedor para preocuparse por los teléfonos móviles o los piercings.

Miro mis patatas y compruebo que las he colocado en la bandeja en forma de corazón. Completamente mortificada por el deseo perpetuo de avergonzarme que tiene mi subconsciente, tapo las patatas con lo que me queda del sándwich y miro de reojo a Chad para asegurarme de que no se ha dado cuenta.

Él me está mirando abiertamente, con su sonrisa descentrada torcida hacia la izquierda.

—Bueno, ¿qué pasa en esas pesadillas? —Se aparta un perfectísimo mechón de pelo rubio despeinado de sus dos ojos de color azul verdoso e igualmente perfectos.

—Bueno, todavía no está totalmente claro. —Trago saliva y mi voz se quiebra en la palabra *totalmente*—. Hay un tío que me persigue.

—¿Puedes verle la cara?

Niego con la cabeza.

–Pero puedo oír su voz; me resultar familiar, pero no consigo ubicarla.

Se inclina hacia mí.

–A lo mejor lo único que significa es que estás huyendo de algo o de alguien que está cerca de ti... y que no deberías hacerlo.

Dirijo mi atención hacia mi refugio de atún, sintiendo rubor en las mejillas y una sonrisa que lucha por dibujarse en mis labios. ¿De veras está diciendo lo que creo que está diciendo, o lo estoy malinterpretando todo? Alzo la vista de nuevo y él también está sonriendo, como si ambos estuviéramos atrapados en un extraño momento sacado de una comedia romántica. Menos mal que tenemos a Drea para devolvernos a la realidad de la comida del comedor.

–Sabes, Chad –comienza–, ese email que me mandaste era muy tierno.

–¿Qué email? –Sonríe.

–El de la canción infantil "La casa de Jack". Pero que *muy* tierno.

–No sé de qué estás hablando.

–No tienes por qué avergonzarte –insiste Drea–. Stacey ya lo ha visto y yo le he reenviado el enlace a Amber. No pude resistirme. Era *demasiado* tierno.

Ni siquiera sé si él continúa escuchándola. Abre la cremallera de su mochila, saca el cuaderno de inglés y lo abre por unos apuntes de *Beowulf.*

–Guarda eso. –Drea le arrebata los apuntes–. Esto no es la biblioteca. Además, es de mala educación. Es la hora de cenar y estamos intentando mantener una conversación intelectual.

–Me parece que *te* has equivocado de mesa –apunta Amber.

Chad me mira y sonríe, como si se dispusiera a decir algo.

–Hola, Donovan –chilla Drea cuando pasa el compañero de habitación de Chad, el preciado centrocampista de hockey de los

Hillcrest Hornets. Ella pone a Zurda y a Diestra, sus dos atributos más sobresalientes, sobre la mesa.

Mientras tanto, yo sigo concentrándome en Chad, esperando a que continúe nuestra conversación, que ahora pende apenas de una pestaña, porque ni siquiera me está mirando. Su atención se ha desviado hacia Drea, que está flirteando con Donovan, metiéndole las manos en los bolsillos de la americana.

–*Sé* que tienes chicle para mí. –Mira de reojo a Chad para asegurarse de que le está prestando atención.

Lo está.

Donovan saca un paquete de Juicy Fruit del bolsillo interior de la americana azul marino del uniforme y le da un trozo.

–Y otro para después –ronronea ella. Él le da otro.

Amber se mete el dedo en la boca, dando a entender que tiene ganas de vomitar. Yo asiento para manifestarle mi aprobación.

Drea se mete en la boca los dos trozos de chicle, convierte los envoltorios en bolitas de plata y los introduce en la palma de la mano de Donovan.

–¿Me harías el favor de tirarlos? –Sin la menor vacilación, él se vuelve y recorre las seis o siete mesas que nos separan de la papelera, resbalando con una uva aplastada en el proceso.

–Qué partidazo –comentar Amber, batiendo las pestañas hacia Drea.

Drea frunce el ceño.

–Estás celosa porque los tíos se me caen encima, literalmente.

Cuando Donovan vuelve a la mesa, Drea le hace sitio en el asiento adyacente.

–Esta mañana te he echado de menos en clase de salud. ¿Dónde estabas?

No es ningún secreto que Donovan idolatra a Drea. Ella lo sabe. Él sabe que lo sabe. En Hillcrest lo sabe todo el mundo.

Según la leyenda, idolatra a Drea desde tercero, cuando fueron juntos a la escuela primaria, pero ella nunca le ha dado una sola oportunidad.

–Estaba trabajando en unas obras –responde–. El señor Sears me dio permiso para faltar a clase.

–¿Puedes enseñarnos tus dibujos? –pregunta Amber–. Me encanta tu trabajo. –Descansa la barbilla en su hombro y le sonríe a Drea.

Donovan se saca una libreta de dibujo del bolsillo trasero y nos muestra un dibujo a carboncillo de una habitación vacía salvo por una confortable silla, una mesita de noche y una puerta sin picaporte.

–Hablando de la falta de salidas –comenta Amber–. *C'est très existentialiste* por tu parte.

–Como si supieras lo que significa eso –tercia Drea.

–¿Bromeas? Camus es mi ídolo. Qué profundo. Qué arte.

–Ese es Sartre, imbécil. –Drea aparta a Amber de un empujón para ver el cuaderno desde más cerca. Se lo quita de las manos a Donovan y empieza a pasar las páginas.

–Espera... –Donovan hace ademán de recuperar el cuaderno, pero Drea se vuelve para eludirlo.

–Quiero verlo –gimotea. Pasa por alto bocetos de flores, cuencos llenos de fruta, un par de gafas y se detiene ante la imagen de una muchacha que guarda un inconfundible parecido con ella. –¿Soy yo? –pregunta.

El boceto está hecho con un brillante carboncillo violáceo. En él, la chica está encogida bajo un paraguas, con un impermeable corto y una capa extra de sombra de ojos, como si estuviera llorando.

–Solo es un garabato. –Donovan recupera el cuaderno de dibujo.

—Es de la semana pasada, ¿no? Reconozco el impermeable.

—¿Por qué estabas llorando? –le pregunto.

—Cosas de padres, ¿por qué va a ser si no? –Drea aparta la vista, pero a continuación le sonríe a Donovan para romper la tensión–. Por lo menos podrías haberme sacado contenta. Y mira qué pelo. ¿Sabes lo que le hace al pelo el aire cargado de humedad, aunque sea debajo de un paraguas?

—Prefiero dibujar a las personas exactamente como las veo. Son perfectas tal como son. Son reales, ¿sabes?

—Desde luego, no eres el típico jugador de hockey –observa Amber, mientras saca de su fiambrera un par de palillos con motivos florales.

—No, es *perfecto*. Creativo, listo y atlético. –Drea entrelaza su brazo con el de Donovan–. A lo mejor te gustaría dibujarme cuando esté un poco más... alegre.

—Ahora tengo un poco de tiempo –responde Donovan.

Drea sonríe en la dirección de Chad, recoge su ensalada de tomate y hace una salida triunfal con Donovan.

—¿Por qué siempre pasa lo mismo? –Amber hinca los palillos en la mesa.

—¿El qué?

—Ella siempre consigue al tío.

—Yo estoy aquí mismo. –PJ se inclina para besarla, pero Amber le mete una uva en la boca.

—Creía que siempre habías dicho que Donovan era repelente.

—Y lo es.

—Pues, ¿por qué flirteas con él?

Amber se encoge de hombros, quitando todas las uvas verdes de su ensalada de fruta con los palillos. Yo miro a Chad, que se ha callado y tiene los ojos fijos en la imagen de Drea y Donovan mientras se alejan.

Siete

Cuando vuelvo a mi habitación es tarde. He acabado pasando buena parte de la tarde estudiando para el examen de francés que espero que Madame LeRonquido me deje repetir. Ya he decidido pedirle disculpas a primera hora de la mañana, alegando que tengo problemas familiares en casa. No está muy lejos de la verdad. Mi madre no podría haberse alegrado más cuando llegó septiembre y tuve que volver al colegio.

No es que mi madre y yo no nos entendamos. Es que no nos entendemos bien. A veces creo que puede que tenga algo que ver con mi padre. Él murió cuando yo solo tenía siete años. Uno habría pensado que eso nos uniría más a mi madre y a mí, al dejarnos a las dos para enfrentarnos solas al mundo y mantener viva su memoria. Pero no ha sido así. A veces me pregunto si no nos habrá separado aún más, que quizá mi madre habría sido más feliz durante mi infancia si hubiera tenido un compañero, un alma gemela, con quien criarme. No es que sea una especie de déspota ni nada. A lo largo de los años, algunas amigas mías han dicho que habrían matado por tener una madre tan guay como la mía, una madre que sigue leyendo *Seventeen*[4], que va a ponerse morena y se hace las uñas postizas. Que conoce los nombres de todos los chicos del colegio porque *mis* amigas le hablan de ellos incluso más que a mí. Lo cierto es que sencillamente somos distintas. Yo

---

(4) N. del T.: publicación norteamericana para adolescentes.

me parezco más a mi abuela. Por eso la echo tanto de menos. Y *eso* es lo que le fastidia tanto a mi madre.

—¿Drea? —Arrojo la mochila al suelo y miro al lado del dormitorio de Drea. La cama sigue sin deshacer, el pijama de anoche sigue hecho un guiñapo al pie de la cama. No parece que haya vuelto aún. Me pregunto si todavía está con Donovan.

Me pongo en cuclillas al lado de la cama y recojo la colada sucia que hay debajo. He descubierto que si te apresuras a limpiar las manchas estas no huelen tanto. Pero ya las he dejado demasiado tiempo. Se distingue una silueta marrón dorada con forma de nube en una de las sábanas y huelen a pañales sucios.

Lo meto todo en una funda de almohada llena de prendas de uniformes escolares sucios, saco las bolsas de la compra mojadas de debajo de la mesita de noche y me dispongo a caminar los cinco minutos que me separan de la lavandería que hay al otro lado del aparcamiento de la residencia. Abro la puerta de un empujón, arrojo en seguida las bolsas de plástico a la papelera y vuelco el saco de ropa sucia en una de las lavadoras. Empiezo a separar la ropa blanca de la de color y la negra como hacen las mujeres con pinta de madre de los anuncios de detergente. Es entonces cuando reparo en un sujetador rosa, enganchado en un pliegue de la sábana y adherido por medio de la estática al pañuelo blanco de encaje de Drea. Sé que el sujetador no es mío, pero me lo llevo al pecho de todas formas. Desde luego que no es mío. Las copas sobresalen con tanta confianza que casi parece que pudieran conseguir una cita ellas solas.

Estoy a punto de depositarlo en la lavadora cuando siento sus vibraciones. Se abaten sobre mí de repente, como pequeños pinchazos de calor electrizante que me recorren los brazos hasta la punta de los dedos. Acaricio el tejido sedoso y la sensación se intensifica, como si alguien se hubiese apoderado de mi piel, hundiéndome las garras en la carne.

Me llevo el sujetador a la nariz para olerlo. Huele a aire fresco mezclado con tierra. Es el olor de mi pesadilla.

No me cabe duda. Drea está en apuros.

Arrojo el sujetador al suelo y salgo pitando lo más deprisa que puedo hacia la residencia, mientras la pulsación de la herida del cristal en la planta del pie me recuerda que probablemente haya llegado el momento de cambiar la venda.

–¡Drea! –grito, irrumpiendo en nuestra habitación.

Ella está de pie frente a la ventana, con una barrita de chocolate en la mano derecha y el ceño fruncido.

–¿Lo has quitado tú? –pregunta.

–¿Qué?

–Aquí dentro hace un frío que te cagas. ¿Por qué lo has quitado?

–¿Quitado el qué?

–¡La camiseta de hockey de Chad!

Me hacen falta unos instantes para juntar todas las piezas. Su rabia. La ventana vacía. La camiseta desaparecida.

–Yo no la he quitado –respondo al fin.

–Pues ¿qué le ha sucedido? Las cosas no desaparecen por las buenas.

–¿Qué estás diciendo? ¿Que la he cogido yo? ¿Por qué iba a hacerlo?

–Dímelo tú. Hoy he visto cómo lo mirabas en el comedor. No lo niegues.

–Ah, ¿y *tú* no te marchaste con Donovan? No la tomes conmigo si Chad no salió corriendo detrás de ti. Solo somos amigos, Drea. Eso es todo.

Drea estudia mis ojos, como si estuviera intentando decidir si creerme o no.

–Soy una mierda, ¿verdad?

−Sí −corroboro−. Pero te quiero de todas formas. −Intercambiamos sonrisas y luego Drea retira un poco más el envoltorio de aluminio de la barrita de caramelo y me la pasa para que le dé un mordisco; tratándose de ella es una oferta insólita y generosa, que me indica que *realmente* está hecha una mierda. Y eso hace que me sienta peor, porque sé que estaba mirando a Chad un poco de ese modo.

−A lo mejor la camiseta se ha caído fuera −digo, cambiando de tema. Cojo la persiana y tiro un poco demasiado fuerte, haciendo que salga disparada y se enrolle en la parte superior. Hay un paquete fuera, en el alféizar de ladrillo de la ventana. Tiene aproximadamente el tamaño de la caja de un anillo y está envuelto en papel turquesa con un lacito rojo encima.

El corazón me late con fuerza dentro del pecho. Está sucediendo de verdad, tal como predijeron las cartas.

−¡Un regalo! −prorrumpe Drea, mientras la rabia se evapora rápidamente de su rostro−. Me pregunto si será de Chad.

Una parte de mí quiere dejarlo en el alféizar de la ventana y fingir que no lo ha visto. Pero ahora es demasiado tarde. Tengo que saber si las cartas son correctas.

Alargo la mano hasta el otro lado del cristal y cojo la caja del alféizar.

−Realmente necesitamos que arreglen esta ventana. No me siento cómoda con la gente paseándose delante de nuestra habitación. Vivimos en la planta baja, por amor a Dios; podría colarse cualquiera.

−No ha sido cualquiera −me corrige Drea−. Era Chad. Estoy segurísima. −Me arrebata la caja de los dedos y juguetea con el lazo.

−¿Dónde has estado esta noche, de todas formas?

−¿A que te gustaría saberlo? Me viste salir del comedor con Donovan.

–¿Has estado con él todo este tiempo?

–No, pero quería que Chad pensara que sí. Supongo que sí que lo ha hecho. –Sonríe ante el regalo.

No aparto la mirada de sus dedos, temerosa de lo que pueda suceder. Veo que le tienta tirar del lazo.

–¡No! –exclamo– ¡No hagas eso!

–¿Por qué?

–Porque no. –Si va a sucederle algo letal, es más seguro que la abra yo–. Quiero abrirla yo. Nunca me regalan nada. –Me apodero de la caja y la sacudo con suavidad. Se produce un pequeño movimiento en el interior.

Nos sentamos al pie de la cama para inspeccionar el paquete en busca de una etiqueta con un nombre. Pero no encontramos ninguna.

–No lo entiendo –dice Drea–. Chad siempre adjunta una tarjeta.

–A lo mejor se ha olvidado –sugiero–. O a lo mejor está dentro.

Drea continúa acariciando el pequeño paquete por debajo del lazo, en los pliegues, bajo la solapa inferior.

–A lo mejor no quiere que sepas que es de él –aventuro. Pero sé que eso tampoco es cierto. Este paquete no es de Chad. Este es el paquete que predije en la lectura de cartas y de algún modo está relacionado con mis pesadillas.

–De acuerdo –accede, dándose por vencida–. Adelante.

Contemplo el paquete unos segundos, preguntándome si este es el momento adecuado para contarle a Drea la verdad sobre la lectura de cartas.

–¡Se acabó! –exclama–. Esto es ridículo. Ya he esperado bastante. –Me lo quita de los dedos y arranca la capa superior de papel.

–¡Espera! –digo al fin–. ¡Te he mentido!

Pero es demasiado tarde. Drea ya ha arrancado el envoltorio y el lazo.

–¡No! –grito, arrancándoselo de las manos–. ¡No lo hagas! –Arrojo el paquete al suelo y lo pisoteo. No pasa nada. Lo mando de una patada contra la pared. Sigue sin pasar nada. No sé si ponerme a cantar o ponerme enferma, pero me abruma por completo una enorme sensación de alivio.

–¿*Qué te pasa?* –pregunta Drea–. ¿Es que te has vuelto completamente loca?

La miro, la inclinación de la boca, el desconcierto de su semblante.

–Me parece que lo has matado –dice.

Recojo la caja aplastada, aspiro una bocanada larga y profunda, y retiro la tapa con un ligero temblor de manos. Examinamos el contenido. Miguitas de color café mezcladas con marrón chocolate. Drea hunde los dedos en la caja y prueba uno de los trocitos.

–Una galleta con trocitos de chocolate. O por lo menos eso es lo que era. –Aparta los trozos de galleta a los lados de la caja, y debajo encuentra una nota del tamaño del mensaje de una galleta de la fortuna: – "Sé lista[5]" –lee–. Únete al club de artes culinarias.

Asoma la cabeza por la ventana y mira hacia la izquierda.

–Hay una en el alféizar de todas las ventanas. Qué idea tan chula, ¿eh?

A lo mejor sí que me estoy volviendo loca.

–Tienes que relajarte –afirma–. ¿Crees que uno de ellos robó la camiseta de hockey de Chad? Porque si es así pienso

5   N. del T.: juego de palabras intraducible. En el original, *be a smart cookie;* literalmente «sé una galleta lista».

denunciarlos a la policía del campus a primera hora de la mañana. —Da otro mordisco a la barrita de chocolate—. Hey, ¿qué has dicho antes sobre mentir?

—Nada. Es que estoy cansada. —Me guardo el mensaje de la galleta y contemplo el aterciopelado cielo nocturno a través de la ventana rota. Allí, en el sosegado silbido del viento, casi puedo oír la voz de mi abuela, diciéndome que confíe en mi clarividencia, que cuando no lo hacemos es cuando sobreviene la tragedia.

Sé de primera mano que es cierto.

Vuelvo a dejarme caer en la cama, cierro los ojos y evoco el recuerdo más entrañable que conservo de Maura. Era un día cálido y apacible, como si en cualquier momento fuera a abrirse la envoltura de nubes y a caer una llovizna en forma de plumas. Maura y yo estábamos sentadas en el columpio del porche de madera de su casa y yo le estaba enseñando un truco de magia. Barajé el mazo de cartas y las extendí en forma de abanico.

—Elige una carta. La que sea. —Maura se rió entre dientes y escogió una del centro—. Ahora mírala y recuérdala, pero no me digas cuál es.

Ella asintió y sonrió, asomando la lengua por el hueco entre los dientes superiores e inferiores, con manchas rojas de Kool-Aid alrededor de la boca.

—Ahora vuelva a meterla donde quieras.

Maura puso la carta a la izquierda del abanico. Yo la introduje dentro del resto de las cartas y las barajé.

—Abracadabra, pata de cabra —dije para divertirla—. Dime qué carta he de escoger. —Le di la vuelta a las cartas una tras otra poniéndolas boca arriba en el columpio y traté de adivinar cuál era la suya. Descubrí la reina de diamantes e hice una pausa. La miré y ella se rió entre dientes.

—*Nop* —dijo.

Le aparté el flequillo teñido de fresa de los ojos y le di la vuelta a varias cartas más. Me detuve en el as de corazones.

–¿Es esta?

Maura empezó a aplaudir. Me rodeó el cuello con los brazos. El olor de su ropa, como de palomitas de maíz y regaliz rojo, me recordó que aquella tarde había sido demasiado indulgente con las cucherías de la merienda.

–¿Me lo puedes enseñar? –pidió.

–Claro que te lo puedo enseñar. Pero primero tienes que lavarte la cara para cenar.

–¿Puedo contarte un secreto antes?

–Claro.

–Me gustaría que fueras mi hermana.

–A mí también –contesté, abrazándola súper fuerte.

Abro los ojos y miro a Drea, que se está cepillando el pelo ante el espejo, dándose las cien pasadas. Y solo puedo pensar en que nunca tuve la ocasión de enseñarle a Maura cómo funcionaba el truco.

–Drea –digo–. Te mentí acerca de la lectura de cartas. Y es hora de que sepas la verdad.

Ocho

–¿Cómo que *me mentiste?* –Drea arroja el cepillo sobre la mesa del tocador y se vuelve en el asiento para encararse conmigo.

–No fui completamente honesta sobre el resultado de la lectura de cartas. Lo siento. Fue una estupidez. Es que no sabía cómo decirte la verdad.

–¿Cuál *es* la verdad?

–Todo lo que te dije de que Chad concertaría una cita contigo y que después la cancelaría es cierto, pero lo demás...

El teléfono suena, interrumpiéndome. Drea se levanta para responder.

–¿Diga? –dice–. Sí, gracias por devolverme la llamada. Esta es la segunda vez que tengo que llamar por lo de la ventana rota. ¿Cuándo vendrá alguien a arreglarla?

Al oirla mencionar la desaparición de la camiseta de hockey de Chad me aparto, suponiendo que está hablando con la policía del campus. No puedo culparla por enfadarse conmigo por haber mentido; yo también me enfadaría. Solo espero que eso no ponga en peligro su confianza en mí más adelante.

Me reclino en la cama y aspiro una honda bocanada de aire. Y entonces lo recuerdo. La colada. En la lavandería. Las sábanas manchadas de pis. Considero la posibilidad de volver andando, pero después de las cartas, de la mentira y de esa estúpida galleta de regalo, decido que mi corazón ya ha sufrido suficientes trastornos para una noche. Mañana por la mañana pondré el despertador en modo de vibración a las cinco, lo meteré bajo la almohada y me iré corriendo a la lavandería antes de que nadie se despierte.

Drea apaga el teléfono, pero luego empieza a marcar de nuevo. Supongo que está llamando a Chad.

En lugar de pensar demasiado en ello, decido ser productiva. Me levanto y rebusco en el fondo de mi armario el álbum de recortes familiar. Pesado y voluminoso, tiene páginas desiguales, arrancadas y amarillentas así como marcas de quemaduras en las esquinas. Está atestado de toda clase de materiales transmitidos: remedios caseros, conjuros, fragmentos de poemas favoritos, hasta recetas secretas, como las pastas de café de mi "tatara" prima.

Mi abuela me dio el libro dos semanas antes de morir y siempre que lo uso imagino a mujeres de hace siglos con largos delantales, haciendo conjuros o leyendo poesía mágica a la luz de las velas. Cuando le pregunté a mi abuela cómo lo había conseguido, me dijo que Ena, su tía abuela se lo había dado y que algún día yo debía legárselo a otra persona, a alguien que al igual que yo, poseyera el don.

Abro el libro por una página medio arrugada firmada por mi tía tatarabuela Ena. Es un remedio casero que ayuda a curar la ceguera nocturna: cenar hígado de pescado crudo. Es repugnante, pero probablemente es mejor que la comida del comedor. Hojeo el libro un poco más. Quiero hacer un conjuro del sueño esta noche, uno que aumente la intensidad de mis pesadillas hasta la plenitud en lugar de debilitarlas.

No empleo el libro a menudo, sobre todo porque la abuela siempre decía que no era bueno depender de él, que los conjuros y los remedios, vienen del interior y que nosotras somos quienes les otorgamos significado. Pero siempre que lo uso me encanta mirar la caligrafía, los lugares donde la pluma resbala provocando una pequeña salpicadura o donde se corre la tinta. Las que tienden a escribir en cursiva frente a las que tienen la letra redonda. Casi puedo imaginar las personalidades de esas mujeres con solo mirar sus nombres, su forma de escribirlos y lo que decidieron aportar. Siempre me deja un sentido mágico de conexión con mi familia, incluso con aquellos parientes a los que nunca he conocido.

Nunca he llevado a cabo este tipo de conjuro, pero si quiero cambiar el futuro y salvar a Drea necesito más pistas.

Enciendo una vara de incienso de limoncillo. Después reúno las herramientas que necesito y las dispongo sobre la cama: una rama de romero, un estuche de lápices vacío, una botella de aceite de lavanda y una pintura de cera amarilla. El estuche es de los de bolsa, está forrado por dentro y tiene una cremallera arriba. Como mi abuela, siempre tengo a mano artículos potenciales para conjuros. Aunque nunca encuentre uso para algunas cosas, así ella siempre afirmara que los ingredientes más esenciales para los conjuros se encuentran en el corazón, no es más que otra forma en la que puedo sentirme conectada a ella.

Busco una vela en el cajón, deteniéndome ante la vela azul que utilicé anoche. Las iniciales de Drea, la O semiconsumida, la E y la S, me contemplan. Sus iniciales significan Drea Olivia Eleanor Sutton, y han sido objeto de chascarrillos desde que la conozco. Los chicos dicen cosas como "Drea es la que mejor lo hace" y "Drea hace cualquier cosa en cualquier momento[6]". Al principio pensaba que estaba pidiendo que la acosaran. Tiene las iniciales cosidas en prácticamente todas sus posesiones, por amor a Dios, las toallas, los artículos de escritorio, los jerseys, hasta la mochila del colegio. Pero entonces lo comprendí, ¿quiénes éramos los demás para decirle que cambiara? La rebeldía de Drea es tan solo una de las cosas que me encantan de ella.

---

(6) N. del T.: juego de palabras intraducible. Las iniciales de Drea se corresponden con la tercera persona del singular del verbo *to do,* (hacer), que es *does.*

—Mierda —susurra, colgando el teléfono de un golpe—. Chad no está en su habitación. ¿Qué voy a pensar ahora? —Se une a mí en la cama y echa una ojeada a la pedicura francesa de sus uñas melladas.

—Lamento haberte mentido sobre las cartas —digo—. Pero solo lo hice porque tenía miedo.

—Da igual, estoy demasiado deprimida para preocuparme por eso ahora. —Examina los ingredientes del conjuro que descansan entre nosotras.

—Pues deberías preocuparte, porque el conjuro de esta noche te incumbe a ti. —Cojo el reborde de la vasija de arcilla y la paso tres veces a través del humo del incienso. Luego enciendo la vela y la pongo en la mesita de noche. Es púrpura y blanca, el producto de dos velas madre en una suerte de comunión cerúlea.

—Qué chulo.

—Se trata de algo simbólico —explico—. El púrpura es para la clarividencia; el blanco para la magia. La unión de ambos simboliza la unión de las visiones que tengo en mis sueños. ¿Puedes darme una página en blanco de tu diario?

—¿Por qué?

—Porque las páginas contienen tu energía; incluso las que están en blanco. Y este conjuro es para ti.

Drea saca el diario del cajón de la mesita de noche, pasa las páginas hasta el final y arranca una de ellas.

—¿De qué va todo esto?

—Ya te he dicho que tenemos que hablar.

El teléfono vuelve a sonar. Drea se apresura a descolgarlo.

—¿Diga? Ah, hola. —Me da la espalda y reanuda su conversación entre susurros.

Supongo que está hablando con él otra vez; con el tipo que ha llamado tan temprano esta mañana. Y sé que debería ponerme a dar saltos de alegría, puesto que no está hablando con Chad, pero no es así. No tengo ni idea de quién es ese tío y no es propio de Drea mantener sus idilios en secreto.

Cuando finalmente cuelga, parece disgustada. Se desploma en su cama, encoge las rodillas y coge la barrita de chocolate medicinal. Estoy a punto de interrogarla pero el teléfono vuelve a sonar. Esta vez contesto yo.

–¿Diga?

Silencio.

–Dámelo –dice Drea.

Niego con la cabeza.

–¿Quién es?

Sigue sin oírse nada. Cuelgo.

–Probablemente era para mí –dice Drea.

–Si quiere hablar contigo, ¿por qué no lo dice? ¿Quién es ese tío? ¿Y por qué no deja de hacer llamadas anónimas?

Llaman a la puerta. Me levanto de la cama despacio, empuño el bate de béisbol que hay detrás de la puerta y aferro el mango con la mano.

–¿Quién es? –exijo.

–¿Quién va a ser a estas horas? –responde una voz desde el otro lado.

Amber. Vuelvo a respirar.

–¿Qué te pasa? –pregunta Drea.

Abro la puerta.

Amber observa el bate de béisbol colocado sobre mi hombro.

–¿Te vas a presentar al equipo? Yo en tu lugar me lo pensaría dos veces. El poliéster ceñido y las zapatillas no te sientan nada bien.

–Amber, ¿has recibido alguna llamada anónima? Drea y yo estamos recibiendo muchas últimamente.

–No son llamadas anónimas –apostilla Drea.

–Es probable que sea PJ –sugiere Amber–. Le gusta gastar bromas. Cuando estábamos saliendo me gastaba bromas constantemente. –Se desparrama en la cama de Drea y mece las piernas de atrás hacia delante–. Tu cama es increíblemente cómoda comparada con la mía. ¿Quieres que cambiemos esta noche?

–¿Así que no has recibido ninguna? –pregunto.

Amber niega con la cabeza.

–¿Has devuelto la llamada?

Se enciende la bombilla. Cojo el teléfono y marco.

–Bloqueado.

–Me lo figuraba –comenta Amber–. PJ siempre bloquea el número antes de marcar. Es el truco más viejo del mundo. Me lo enseñó PJ. A lo mejor es él. Se lo preguntaré mañana en clase de francés. ¿Quieres hacer un conjuro amoroso?

Meto la mano en la papelera y saco la caja de la galleta destrozada.

–¿Te han regalado una de estas galletas?

–Menuda galleta –observa Amber.

–Ha sufrido una especie de accidente –explico–. La dejaron en el alféizar de la ventana.

–Qué pasada –prorrumpe Amber–. Me encantan los admiradores secretos. ¿Para quién es?

Saco el mensaje del bolsillo y se lo entrego.

–Supongo que el club de artes culinarias no quiere que me haga socia –rezonga–. ¿Quién no querría probar estas galletas?

–¿Quieres que empiece la lista? –bosteza Drea.

El teléfono vuelve a sonar. Drea se dispone a cogerlo pero yo soy más rápida.

–Diga. ¿Diga? Sé que estás ahí.

–Dámelo –ordena Drea.

Niego con la cabeza y escucho. Oigo a alguien respirando al otro lado de la línea, un resuello grueso y acompasado. Y después, finalmente cuelga.

–Drea –la exhorto al tiempo que desconecto el teléfono–, ¿quién es ese tío?

–Ya te lo he dicho. No es más que alguien con quien hablo.

–¿Cómo se llama? –insisto.

–No lo sé –responde–. Además, no tiene importancia.

–¿Su nombre no tiene importancia?

–Los nombres no son sino etiquetas que nos ponemos para clasificarnos –afirma–. No significan nada.

–¿De qué estás hablando?

–Olvídalo –dice–. Creo que no lo entenderías.

–¿Viene aquí? –pregunta Amber.

Ella niega con la cabeza.

–Pues, ¿de qué lo conoces?

–Bueno, no es que sea asunto tuyo –responde–, pero una noche llamó aquí por accidente, básicamente se había equivocado de número, y nos pusimos a hablar.

–¿Tú lo llamas a *él*? –pregunto.

–No. Dice que no puede darme su número.

–¿Por qué?

–Hey, que esto no es un juicio. Basta de preguntas. –Drea saca el diario del cajón para ponerse a escribir.

–Qué *poco* inteligente. –Amber extrae un paquete de cigarrillos del bolsillo del pijama, sacude la cajetilla contra la palma de la mano y enciende uno con la llama de la vela. Aspira como si el cigarrillo fuera un inhalador para asmáticos.

–¿Desde cuándo *fumas*? –pregunto.

–Desde que encontré un paquete a medias en el vestíbulo.

–Pues si lo huele Madame Descarga nos podemos dar todas por muertas.

–A mí me parece que esto está bastante ventilado, ¿no crees? –Amber pone cara de pez mientras exhala bocanadas de humo en forma de O hacia la ventana rota–. Además, con eso que estáis quemando aquí huele a pis de mofeta.

Aparto las volutas de humo de mi cara antes de dirigirme a la ventana del rincón, la que no está rota. Afuera está oscuro; solo hay estrellas dispersas a lo lejos. Le pido un deseo a una de ellas: paz y seguridad. El cristal está frío, al igual que la habitación, y mi aliento cálido forma una nube. Dibujo un símbolo de la paz en el centro con el dedo y miro a través de la huella.

Hay un hombre que me está observando desde el jardín. Es difícil distinguirlo con claridad en la negrura, pero veo que es mayor, puede que tenga cuarenta o cuarenta y tantos, el pelo oscuro y ralo. Me parece que lleva un par de pantalones vaqueros, y sostiene una voluminosa bolsa de la compra. Cuando descubre que he reparado en su presencia dirige su atención a las ventanas de las demás habitaciones.

–Chicas, hay alguien ahí fuera que nos está espiando.

–¿Qué? –Drea acude a la ventana para mirarlo conmigo–. A lo mejor es un bedel.

–A lo mejor deberíamos llamar a seguridad –sugiero.

–¿Y qué vamos a decirles? –interviene Amber–. ¿Que uno de los bedeles está trabajando fuera? Menudo notición. Nos encerrarán en un manicomio.

–Ya les hemos llamado una vez esta noche –apunta Drea.

–Sois peores que un par de ancianitas. –Amber se planta de un brinco entre nosotras para observar. Sus ojos se ensanchan–. Hooola, grandullón –exclama–. No está mal. No está nada mal.

Chúpate esa, Brantley Witherall. A lo mejor todavía hay esperanza para mí.

–¿Estás de coña? –dice Drea–. Pero si es un anciano.

–Sí, bueno, son tiempos difíciles. –Amber se pasa las manos por la pechera del pijama con ademanes sensuales y se levanta la camisa revelando un mini sujetador rojo de encaje que apenas contiene sus pechos.

–¡Amber! –chilla Drea al tiempo que la aparta del cristal–. ¿Qué crees que estás haciendo?

–Anímate –dice Amber–. Mira, para que veas, no te rías cuando tu madre te dice que te pongas siempre ropa interior bonita.

–Ropa interior *limpia* –la corrige Drea.

Me quedo junto a la ventana, contemplando al hombre desde el otro lado de la cortina. Veo que es alto y, a juzgar por su forma de caminar, mientras inspecciona las ventanas restantes, que también es muy fuerte. Mira en dirección a mí y sonríe. De algún modo puede verme. Siento pánico y bajo la persiana.

–Estáis demasiado paranoicas –dice Amber, masticando la barrita de caramelo de Drea–. Esto es tan seguro que no se acerca ni Dios.

–Para ti es fácil decirlo –objeta Drea–. Tú no vives en la planta baja.

–Vale, ¿quieres que llame a la policía del campus? –Antes de que Drea o yo podamos responder, Amber está marcando–. Hola, agente –dice–. Estoy en la habitación 102 del centro Macomber. Sí, es que hay un tío increíblemente bueno ante nuestra ventana que tiene unos morritos para morirse y un culito prietísimo. Es probable que sea un bedel, pero no estamos seguras, así que ¿qué sugiere que hagamos? –Amber balancea el teléfono lejos de su oído–. ¿Quién lo iba a decir? Me ha colgado. Qué grosero.

–No puedo creer que hayas hecho eso –le digo–. Ahora no nos creerán nunca.

–¿Creer qué? –pregunta ella.

–Mira, Amber –digo–, Drea y yo tenemos que hablar, y yo tengo que hacer este conjuro mientras la luna continúe en posición.

–Yo no te lo estoy impidiendo.

–No me importa que se quede –interviene Drea.

Por mi parte, yo no estoy tan segura. Pero se acaba quedando de todas formas.

* * *

Nos sentamos formando un triángulo en el suelo y nos cogemos de la mano, concentrándonos en la vela que hay en el centro.

–Cerrad los ojos –indico–, pero no perdáis de vista la llama. Abrazad su luz y su energía. Visualizadla a vuestro alrededor. Aspirad y espirad la energía de la luz, siendo conscientes de la acción y dando las gracias por ella.

Practicamos la respiración guiada durante unos minutos hasta que la energía de la habitación cae a nuestro alrededor como si de nieve se tratara. Hasta que estamos listas para empezar.

–Drea –digo al tiempo que abro los ojos–, comprendo que te cueste confiar en mí después de que te mintiera, pero tienes que creerme. –Rompo nuestro abrazo para sacar del cajón de mi mesita de noche las tres cartas de su lectura. Las extiendo frente a ella.

–¿Las has guardado?

Asiento.

–Antes de que te diga lo que significan has de recordar que hay una razón para que nos hayan concedido este atisbo del futuro. Estamos destinadas a cambiarlo.

–Está bien –dice, aunque no lo está.

–El as y el cinco de tréboles indican que vas a recibir una carta y un paquete. El as de picas es la carta de la muerte. Es probable que la carta, el paquete o ambas cosas estén relacionadas por medio de la muerte. De tu muerte.

–¡¿Qué?! –prorrumpe Drea–. ¿Qué estás diciendo?

–Ten cuidado –insisto–. Ten cuidado con los regalos y los paquetes que recibas.

–¿Qué significa eso? ¿Que voy a recibir un *regalo* con una *bomba* dentro?

–Drea... –No quiero decirlo, pero es necesario, de modo que sencillamente lo hago–. Me parece que alguien intenta matarte.

–¡¿*Qué?!* –Su voz es tan sonora y entrecortada que está a punto de extinguir la llama de la vela.

–La pesadilla recurrente que tengo... es una premonición. Sobre ti.

–¿Sobre *mí?*

–Las he tenido antes. Hace tres años. Sobre Maura, la niña a la que cuidaba. –Aparto la mirada. No quiero continuar, no quiero admitir lo que sucedió, aunque me atormenta todos los días.

Precisamente *porque* me atormenta todos los días.

–En las pesadillas ella estaba atrapada en un cobertizo. Un cobertizo oscuro y atestado con paredes de cemento resquebrajadas. Yo la veía de espaldas, tendida en un banco, hecha un ovillo como si estuviera durmiendo. Pero estaba asustada. Yo sentía su miedo como si de algún modo lo estuviera viviendo. Y durante semanas sufrí unos horribles dolores de cabeza.

Drea se aferra a la almohada. Siento que me cree. Abre la nevera y me ofrece una lata de refresco fría.

–Gracias –digo. Es justo lo que necesito. La dulzura artificial me escuece en la boca como si fueran polvos de pica pica helados–.

Cuando los sueños continuaron –prosigo– sentí la tentación de hacer algo, de decírselo a la policía, pero es que en mi cabeza sonaba muy estúpido. Porque cuando me asomaba fuera, Maura estaba jugando en los columpios, prendiendo cartas a las radios de la bicicleta con las pinzas de tender la ropa para hacer ese ruido de motor. Así que me dije que era un sueño tonto y que se me pasaría en seguida.

–¿Y qué sucedió? –pregunta Drea.

Me muerdo el labio para reprimir el temblor y después lo digo.

–Alguien se la llevó. *Se fue.*

–¿Cómo que *se fue?* –repite Amber.

–Pues que *se fue.* Desapareció. –Me enjuago las lágrimas del rabillo de los ojos.

–¿Dónde?

Las palabras sobre lo sucedido se han acumulado en mi cabeza desde hace ya un par de años y sé que debo pronunciarlas. He leído los libros. He oído a los expertos del programa de Oprah. Si quiero que las cosas horribles parezcan menos horribles y poderosas y que no controlen tanto mi vida, debo hacerles frente y contárselas a los demás. Por horrible que sea el recuerdo, sé que es mucho peor que se ulcere dentro de mi cabeza. Respiro profundamente, espiro durante tres compases completos y finalmente lo admito.

–Maura fue asesinada.

–¿*Qué? ¿Cómo?* –pregunta Amber.

Siento que las lágrimas resbalan por las líneas de mi cara.

–Encontraron su cuerpo en un cobertizo de herramientas a solo dos manzanas de nuestro barrio. Fue un psicópata. Lo atraparon enseguida. La gente lo había visto por ahí. Según parece la observaba cada mañana cuando su madre la llevaba andando al colegio.

Checkout Receipt

Placentia Library District
06/30/11 05:35PM
COURTESY DUE DATE SLIP
****

First 100 words in Spanish /
36018054031232
07/21/11

I will always love you : Gossip Girl n
36018054427828
07/21/11

Azul para las pesadillas /
36018056627193
07/21/11

TOTAL 3

SUNDAY 1 - 5 P.M.
MONDAY - THURSDAY 9 A.M - 9 P.M
SATURDAY 9 A.M. - 5 P.M.
CLOSED FRIDAYS

Library phone number 714-528-1906
Telephone renewal line 714-765-1775

–Sí, pero eso no fue culpa tuya –afirma Amber–. Tú no podías saberlo. ¿Cuántas personas se toman sus sueños tan en serio? Además, has dicho que la viste en un cobertizo. No viste quién se la había llevado. Ni dónde estaba el cobertizo exactamente. Probablemente no habría servido de nada.

Me inventé excusas como esa cuando sucedió, pero las excusas no proporcionan alivio alguno, especialmente para la culpa. No me correspondía a mí emitir ese tipo de juicios, decir que probablemente mis sueños no habrían servido de nada.

Tal vez le habrían salvado la vida a Maura.

–De todas formas –murmuro–, ahora tengo pesadillas sobre Drea.

–¿Así que Chad va a invitarme a ir a un sitio y luego va a echarse atrás?

Asiento y me enjuago la cara.

–Probablemente la próxima vez que hables con él.

Amber apoya una mano en la espalda de Drea para reconfortarla. Percibo que Drea tiene miedo. Yo también lo tengo. Tengo miedo por Drea. Miedo de que la historia se repita. Desde luego, mi madre estuvo conmigo para consolarme después de la muerte de Maura, rodeándome los hombros con los brazos, intentando que dejase de temblar, pero ella no lo entendía como lo habría hecho la abuela. No entendía las pesadillas ni la culpa.

Ni por qué, siendo *su* hija, me parecía tanto a la abuela, para empezar.

Respiro profundamente, desenrosco el tapón de la botella de aceite de lavanda y derramo dos gotas en el crisol.

–Por la pureza y la claridad –declaro–. Este conjuro es para que mis sueños se aclaren, para que pueda predecir el futuro antes de que suceda. –Desabrocho la cadena de plata esterlina que me rodea el cuello y la sumerjo en el aceite. Con un dedo describo tres espirales con ella en el fondo de la vasija, asegurándome de que está completamente sumergida.

–¿Para qué es eso? –pregunta Amber.

–El color plateado es para obtener clarividencia mientras viajo en el plano astral.

–Parece una guarrada –comenta Amber.

–El plano astral son nuestros sueños. –Cierro los ojos y me concentro en ella–. Cadena de plata, así como cada eslabón se concatena con el siguiente para formar una cuerda alrededor de mi cuello, que se concatenen los eslabones de mis sueños psíquicos para unificar las visiones de mi mente subconsciente. –Abro los ojos y escribo la pregunta ¿QUÉ INTENTAN ADVERTIRME MIS PESADILLAS? en la página del diario de Drea con la pintura amarilla–. El amarillo es para tener pensamientos lúcidos –explico al tiempo que doblo la página hasta obtener un cuadrado del tamaño de la palma de mi mano y lo introduzco en el estuche de lápices que empleo a modo de bolsa de sueños. Miro un momento a Drea, al aura oscura y grisácea que le emboza el pelo y los hombros.

–¿Qué es eso? –inquiere Amber, señalando la rama de romero.

Cojo la ramita, cuyas agujas son frescas y afiladas como las ramas de un árbol de Navidad.

–Esto ayudará a purificar la energía que me rodea para que pueda recordar. –Cojo veintiocho agujas de la rama, el número de días que tiene un ciclo lunar completo, y las esparzo en la vasija–. El romero, sostiene mis visiones llenas de maravillas cuando me entrego al sueño.

Me concentro en la mezcla y saco el collar de plata de la vasija.

–¿Me ayudáis? –Le entrego el collar a Drea y le indico que me lo abroche. La cadena cuelga alrededor de mi cuello a la altura de las clavículas, mientras que el aceite de lavanda resbala sobre mi piel y algunas agujas de romero se me clavan en la garganta.

–Entonces ¿hemos acabado? –pregunta Amber.

–No del todo –respondo, al tiempo que extingo la llama con un apagavelas.

–¿Por qué no la apagas de un soplido? –pregunta Amber.

–Porque eso confundiría a las energías y produciría una violenta reacción negativa.

–Oh, sí, claro –dice Amber, poniendo los ojos en blanco.

Mezclo el aceite y el romero en la vasija con los dedos y vierto la mezcla en la bolsa de sueños. Espero unos segundos hasta que la vela se enfría un poco y el charco de cera líquida que rodea la mecha se solidifica. A continuación arranco el cuajarón y lo planto dentro de la bolsa de sueños.

–Y tú decías que *yo* tenía hábitos raros –observa Amber.

Cierro la cremallera de la bolsa y la meto en la funda de mi almohada.

–Repetid después de mí –digo, cogiéndoles las manos–. Con la fuerza de la luna, las estrellas y el sol, se hará lo que yo haga. ¡Bendito sea el camino!

Drea y Amber repiten el cántico y nos soltamos las manos. Me acuesto en la cama y toco la cadena plateada que me rodea el cuello, percibiendo la fragancia dulce y florida del romero adherida a mi piel y a las yemas de mis dedos.

–Buenas noches –digo.

Me cubro hasta la barbilla con las mantas y me concentro en la bolsa de sueños que hay dentro de mi almohada y la pregunta que hay en su interior, confiando en que pronto me ayudarán a revelar la verdad que hay detrás de mis pesadillas.

Deben hacerlo.

NUEVE

Antes de que logre conciliar el sueño, Amber anuncia que se queda en nuestro dormitorio, declarando que tanto hablar de pesadillas la ha alterado. Al principio estoy nerviosa. Ya es bastante difícil ocultarle a Drea que me hago pis en la cama, no hablemos de ocultárselo a Amber, que va a dormir en un futón encajado entre nuestras camas. Pero dormir ni siquiera se contempla porque en cuanto su cabeza roza la almohada Amber empieza a roncar hinchando el pecho, abriendo la boca y resollando por las aletas de la nariz.

Cuando el despertador vibra bajo la almohada alertándome de que son las cinco de la madrugada me levanto, cojo una sudadera del creciente montón de ropa sucia que hay en el suelo, me la pongo y me dirijo a la lavandería para recuperar mis cosas.

El campus sigue durmiendo cuando me encamino hacia allí, pero no los bosques. Oigo a los pájaros que trinan en las copas de los árboles y las madrigueras de los arbustos mientras el rocío matutino se eleva de los troncos y las ramas para difundirse por el aire matinal. Todo está casi en paz, casi merece la pena levantarse tan temprano un día de colegio después de no haber dormido en toda la noche. Casi.

Cuando llego a la lavandería me embarga una deliciosa sensación de paz, de ser una con la naturaleza. Pero entonces empujo la puerta y todo cambia. No se ve la colada.

Corro por el suelo de linóleo moteado hasta la lavadora que usé anoche. Contengo la respiración y levanto la tapa.

Está vacía.

Empiezo a abrir y cerrar con violencia las tapas de las restantes lavadoras y secadoras, esperando que quizá alguien haya cambiado mis cosas de sitio. Pero no están por ninguna parte.

Alguien debe de habérselas llevado.

Cojo el teléfono del campus que está instalado en la pared y llamo a seguridad, pensando que quizá alguien haya entregado mi colada en objetos perdidos. No tengo suerte. Me preguntan si deseo presentar una queja formal, pero considerando cómo sonaría eso, declino cortésmente la oferta. Espero que alguien cometiera un error inocente y cogiera mi colada accidentalmente. Espero que quien haya sido no reconozca que son mis cosas.

Cuando vuelvo a la residencia son las cinco y media y Drea y Amber siguen durmiendo. Me arrastro nuevamente hasta la cama y me tapo los oídos con una almohada. Pero eso no basta para bloquear los ronquidos de Amber, ni para amortiguar el estruendo del teléfono.

–¿Diga? –contesto, arrastrando el auricular hasta mi oreja.

Silencio.

–¿Di-ga? –repito.

Sigue sin oírse nada, de modo que cuelgo.

–¿Quién era? –pregunta Drea, dándose la vuelta en la cama.

–Probablemente ese pirado con el que hablas. ¿Quién demonios es, Drea? ¿Y por qué es tan psicópata?

Amber emite un gemido lleno de dolor. Se encoge en la cama, con sus coletas anaranjadas sobresaliendo como las de Pipi Calzaslargas.

–¿A qué viene tanto drama?

El teléfono vuelve a sonar. Drea se dispone a responder, pero Amber lo intercepta.

–¿Diga? Cabaña del amor de Drea y Stacey.

Nunca he visto a nadie despertarse tan deprisa. Una amplia sonrisa burlona se extiende ya sobre sus pecosas mejillas.

–*Quelle coincidence, monsieur* –dice al teléfono–. Anoche estuvimos hablando de ti. –Nos guiña un ojo abiertamente a las dos–. Pero es curioso que llames a una hora tan intempestiva. ¿No podías dormir? ¿Hay algo que te mantiene en vela?

–¿Quién es? –articulo las palabras para que me lea los labios.

–Es Chad. –Mueve las cejas de arriba abajo y le tira besos a Drea–. ¿Que qué estoy haciendo aquí? –le dice al teléfono–. No sé qué decirte. Me han dicho que a veces soy sonámbula.

Drea alarga la mano para coger el teléfono, pero Amber la esquiva.

–Nunca sé dónde acabaré –continúa–. Será mejor que cierres la puerta con llave.

–Dámelo. Ahora mismo. –Drea trata de apoderarse del teléfono, pero Amber es demasiado rápida. Se levanta de un brinco y se escabulle hasta el otro lado de la habitación.

–¿Eh? –Amber se tapa el oído que no está pegado al auricular para bloquearnos. Se vuelve hacia Drea–. Quiere saber si has recibido su email.

Drea salta de la cama para comprobarlo.

–Quiere saber si has hecho los deberes de psicología –anuncia Amber.

Drea asiente.

–Bueno, entonces, ¿se los puedes dejar? Son para mañana a primera hora.

La sonrisa de Drea se marchita, pero asiente de todas formas. Se aparta para pinchar en el email de Chad.

–¡Venga ya! –Amber se ríe ante el teléfono–. *Qué* graciosos sois.

Drea se da la vuelta, hundiendo los puños, que tienen los nudillos blancos, en el surco que hay bajo la caja torácica.

–¡Dame el teléfono ahora mismo!

–*Desayunar*, ¿eh? –repite Amber al teléfono–. ¿Así es como lo llamáis ahora? Drea, quiere quedar contigo por la mañana para *desayunar* y estudiar. ¿Cómo tienes la agenda, nena? –Amber lanza un guiño exagerado.

Drea aplaude en silencio. Se precipita hacia el armario en busca del uniforme más perfectamente planchado. Saca uno y lo sostiene para mostrárnoslo. Le hago un gesto de aprobación con los dedos. Un vestido sin mangas, de cuadros escoceses de color azul marino y verde, con una blusa de cuello blanco debajo y calcetines azul marino hasta las rodillas. ¿Cómo *va a ser* mejor?

–Ya está eligiendo la ropa –le informa Amber a Chad. Se enrosca el cable del teléfono alrededor de los pies; luce un calcetín decorado con manchas de vaca y otro con dibujos dispersos de diversos tipos de queso–. No puede esperar hasta el último curso, cuando pueda ponerse calcetines verdes hasta las rodillas. Solo es uno de los muchos privilegios del último curso.

Drea lanza una pantufla de Scooby Doo a la cabeza de Amber.

–Tengo que irme, Chaddy Patty[7]. Ya sabes cómo es esto, tengo que atender a la gente y ver cosas. Chao, nene. –Amber cuelga, se levanta y se saca tres dedos de tela del pantalón del pijama de ente las nalgas–. Me muero de hambre. ¿Alguien quiere comer algo?

–La lectura de cartas era correcta –digo–. Chad acaba de invitar a Drea a desayunar.

–No va a echarse atrás –objeta Drea.

–Sí –asiente Amber–. Necesita tus deberes.

–Genial. –Drea retira el aluminio de la barrita de chocolate y mordisquea con frustración–. La mayoría de los tíos me quieren por mi físico. Chad me quiere por mi cerebro.

---

(7) N. del T.: en referencia a la muñeca *Chatty Patty*.

–Lo siento por ti –apostilla Amber.

Ignoro el resto de sus bromas y me siento junto a la ventana del rincón. Acabo contemplando el imponente arce que hay a lo lejos, el que Chad y yo bautizamos al final del curso pasado, justo después de los exámenes finales, cuando Drea y él habían roto.

Nos sentamos debajo, comiendo bocadillos de mantequilla de cacahuete y plátano y hablando de nuestros planes para el verano.

–¿Tienes frío? –me preguntó, refiriéndose a la carne de gallina de mi brazo, al tiempo que me pasaba un dedo sobre la piel.

Negué con la cabeza y advertí que me estaba mirando fijamente la boca.

–Tienes un poco de mantequilla de cachuete –dijo.

Qué elegante. Me lamí la comisura del labio y sentí un glóbulo de cacahuete con la lengua.

–¿Mejor?

Él asintió.

–Qué fina soy. –Aparté la mirada para ocultar el rubor de manzana asada que sabía que podía verse por toda mi cara.

–Eres preciosa.

Lo miré, esperando oír el desenlace del chiste. Pero en cambio deslizó la mano por mi brazo y entrelazó sus dedos con los míos.

–Drea es preciosa –respondí–. Yo soy...

–Preciosa –terminó él. Me giró el mentón con el dedo para que lo mirase y sonrió como si lo dijera en serio–. Siempre lo he pensado. –Apartó los escasos mechones oscuros que habían caído frente a mis ojos y volvió a mirarme los labios–. ¿Te parece bien?

Hice un asentimiento y sentí que se inclinaba hacia mí. Cerré los ojos anticipando el beso y después lo sentí cálido y afrutado contra mis labios.

Aquel día, durante nuestro largo paseo de vuelta a la realidad, le dije que quería mantener en secreto nuestro beso, que no quería hacerle daño a Drea. Quería que el recuerdo fuera perfecto para siempre en mi memoria, donde nadie pudiera estropearlo.

Me dijo que había estado esperando para besarme durante todo el curso.

Pero ahora soy yo la que está esperando.

—Tierra a Stacey —grita Amber, sacándome del feliz sendero de la nostalgia—. Si todo eso de las cartas es cierto, entonces a Chad le quedan menos de dos horas para cancelar la cita con Drea, ¿no?

Asiento.

—Entonces ¿qué pasa si te equivocas con la predicción? —pregunta Drea, con los brazos cargados de uniformes escolares.

—Supongo que podría haberme equivocado en todo.

Pero sé que no lo he hecho. Me vuelvo para mirar de nuevo por la ventana. Entonces lo veo. Otra vez. El hombre de anoche.

—¡Ha vuelto! —exclamo.

—¿Quién? —pregunta Drea. Pero entonces lo ve y deja caer los uniformes al suelo.

Está plantado en el jardín, a escasos metros de distancia. Alza la vista hacia nosotras y sonríe.

—¡Qué tío más raro! —declara Amber.

—¿Deberíamos hacer algo? —pregunta Drea.

—¿Como qué? —digo yo.

—Llamar a seguridad.

—Nunca nos escucharán —dice Amber—. Creen que estamos chifladas.

—Gracias a ti —añado.

Se acerca un paso y señala en nuestra dirección. Miro a Amber y a Drea, pero no logro distinguir a quién se refiere, en quién se concentran sus ojos ni si acaso se trata de mí. Entrecierro los ojos para concentrarme con más intensidad. Pero antes de que pueda averiguarlo, se toca la gorra a modo de saludo y se aleja.

DIEZ

–¿Estás lista? –Drea está junto a la puerta de nuestra habitación, esperándome mientras lleva a cabo una inspección de última hora en el espejo de la cómoda. Se echa sobre los hombros una toalla con un monograma bordado y se echa el pelo hacia delante por encima de los hombros–. Recuérdame que luego pida hora para que me hagan las cejas. –Se pasa un dedo sobre la pelusa invisible que hay entre sus ojos–. Vamos. Todas las duchas van a estar ocupadas.

Pero ahora que se ha ido Amber, yo quiero hablar.

–Parece que lo de esta mañana con Chad sigue adelante. –Se enrosca un largo mechón de pelo rubio ondulado en los dedos con las uñas recién pintadas de color amarillo maíz.

–Eso parece –admito, prácticamente mordiéndome la lengua. Chad todavía tiene una hora entera para cancelar la cita. Y sé que lo hará. Cojo la toalla del pie de mi cama y me la echo alrededor de los hombros–. Drea, antes de que nos vayamos, hay una cosa que debo preguntarte.

–¿Qué?

–Ese tío que no deja de llamarte. ¿Por qué estabas disgustada la última vez que te llamó?

–¿Quién ha dicho que estuviera disgustada?

–Te conozco, Drea. ¿Quién es y por qué estabas disgustada?

Ella suspira.

–Es un amigo, ¿vale? Solo tuvimos un malentendido.

–¿Sobre qué?

–Él creía que estaba viendo a alguien, pero no es así, así que no hay problema.

–¿Qué significa eso? ¿Sois pareja?

–No tengo tiempo para esto. ¿Vas a venir o no? –Balancea el cesto lleno de productos para el pelo y geles de ducha.

–No –insisto–. No hasta que hayamos hablado de esto.

–De acuerdo –dice–. En ese caso supongo que nos veremos más tarde. –Cierra la puerta a sus espaldas.

Me dejo caer en la cama con una terrible jaqueca que se arrastra sobre mis sienes. A veces me gustaría que mis problemas pudieran resolverse de una forma tan sencilla como en la escena de la película *Grease* en la que el restaurante se transforma en un pedazo de cielo. Cuando Frankie Avalon desciende de un cielo luminoso y resplandeciente para ejercer de ángel de la guarda de Frenchy, que necesita consejo sobre la escuela de belleza.

A mí también me vendría bien un consejo.

Me doy la vuelta y miro hacia la ventana rota. Se escucha un chasquido procedente del otro lado.

–¿Drea? –Me siento. A lo mejor ha olvidado algo.

El ruido continúa.

Me aparto de la cama y empuño el bate de béisbol que hay detrás de la puerta. Me lo pongo sobre el hombro como si fuera un bateador y espero. Ahora es un silbido, lento y acompasado, interrumpido por la respiración de un ser humano. Avanzo unos pasos hacia el sonido, pero entonces este parece desplazarse hacia la ventana del rincón, la que no está rota. Lo sigo y me percato de que la ventana está abierta una rendija.

–Stacey –dice una voz–, puedo verte. Puedo ver tu bonito pijama a cuadros.

Avanzo otro paso. Mi corazón está echando abajo la puerta de mi pecho, obligándome a detenerme, a respirar profundamente.

Me quedo clavada en el sitio, afianzo las manos en torno al bate de béisbol y me preparo mentalmente para su próximo movimiento.

Y ahí está, una mano que da una palmada en el cristal. Los dedos se arquean, retorciéndose a medida que ascienden hacia el marco de la ventana para abrirla más.

Me inclino hacia delante para ver la figura que hay debajo. Me mira, casi sobresaltada, con el rostro oculto por una máscara de hockey blanca, y de repente siento que me han arrojado al plató de *Viernes 13* y que en cualquier minuto un cuchillo de quince centímetros atravesará la ventana.

La mano se contrae hasta formar un puño y golpea el cristal. Y entonces rompe a reír, delatándose por completo. Reconocería esa risa de la rana Gustavo en cualquier parte, moviendo la cabeza con la boca abierta sin emitir sonido alguno.

Chad.

Se quita la máscara y respira pesadamente como Jason en *Viernes 13*.

–Puedo verte, Stacey –repite, sin dejar de reírse.

–Te odio, Chad.

Él aprieta los labios contra el cristal, pero sigue estando bueno. Bueno como recién salido de la cama, el pelo rubio arenoso de punta por detrás, un entramado de líneas de la sábana sobre la mejilla, pequeños puntos de vello dorado reciente, brotando de la barbilla. Sensualmente delicioso.

–¿Dónde está tu sentido del humor?

Empiezo a bajar la persiana para bloquearlo. No quiero hablar con él en este momento. Tengo un aspecto horrible. Me siento horrible. Y detesto este tipo de bromas.

–Espera un minuto –dice–. Lo siento, ¿vale?

Es difícil resistirse, porque está para chuparse los dedos, de puntillas, con una gotita de pasta de dientes en la comisura del labio.

Una burbuja imaginaria sale de mi cabeza. En ella, los dos nos hemos despertado juntos; él se está escabullendo y este es nuestro secreto.

Pincho el pensamiento con una aguja de realidad y abro la ventana de un empujón.

–¿Qué estás haciendo aquí?

–La verdad es que estaba buscando a Drea.

–Se está duchando. ¿Por qué?

–Habíamos quedado para desayunar. Iba a ayudarla con los deberes de psicología.

–¿De veras? Pensaba que era al revés.

–Yo la ayudo a ella y ella a mí. –Me guiña el ojo–. ¿Qué más da? –Se impulsa con los codos en el alféizar para asomarse a la habitación–. Las chicas sois unas vagas. Sois peores que los solteros.

Me aliso el pelo con las manos y trato sutilmente de pellizcarme las mejillas para darles color.

–Le diré que has venido.

–¿Qué pasa? ¿Quieres que me vaya tan pronto? –Chad balancea la mano al otro lado de la repisa, dentro del dormitorio, lo que me permite atisbar los puntitos de vello masculino de sus nudillos–. ¿Puedo entrar? –pregunta.

–¿Para qué?

–¿Cómo que para qué? Para pasar un rato contigo. Para hablar. No hablamos tanto como el año pasado.

Es cierto. Pero las cosas no han sido exactamente iguales entre nosotros desde el día en que nos besamos. Lo miro, desde las pestañas largas y rizadas hasta la boca carnosa, y siento que un millón de cohetes estallan en mi corazón con solo recordar ese beso.

–Por favor –suplica–. ¿Con bocadillos de mantequilla de cacahuete y plátano encima?

Siento que se me calientan las mejillas como si fueran tazones de sopa de pescado. Él también está pensando en eso. No me sorprende que esté pensando en eso. Lo que me sorprende es que admita que está pensando en eso, que es una cosa completamente distinta.

Quiere que sepa que está pensando en eso.

Una parte de mí quiere dejarlo entrar. Otra parte quiere cerrar la ventana y bajarle la persiana en las narices de una vez por todas. Engullo ambas partes en un trago agridulce y le respondo:

–Probablemente no sea una buena idea. Madame Descarga suele hacer la ronda a estas horas.

Asiente, con esos seductores ojos de color azul verdoso rebosantes de decepción.

Me muerdo el lado de la mejilla y me devano los sesos en busca de algo que decir. Cualquier cosa.

–Y bien, ¿quién te ha dicho que nos gustan las películas de terror?

–Un pajarito –dice, sacando pecho. Tardo un momento en darme cuenta de que lleva su vieja camiseta de hockey, la que estaba clavada sobre la ventana rota.

–Hey, si tienes la camiseta. ¿Cuándo la has recuperado? Alguien se la llevó de nuestra habitación.

–Claro.

–Así es –insisto–. Anoche volvimos tarde y había desaparecido–. Vuelvo la vista atrás hacia la ventana rota y la imagen de Scooby Doo posando en la toalla de playa clavada sobre el agujero; una contribución de Amber.

Chad vuelve a ponerse la máscara de hockey sobre la cara y respira como Darth Vader.

–Esta era mi forma de vengarme de vosotras después de vuestro fallido intento de asustarme. Que tengáis más suerte la próxima vez.

–¿De qué estás hablando? Nosotras no hemos intentado asustarte.

Se levanta la máscara del rostro.

–¿Ah no?

Niego con la cabeza.

–Pues ¿quién ha metido la camiseta en mi buzón? –Saca una hoja de papel de cuaderno del bolsillo trasero de su pantalón–. Llevaba esto pegado.

Cojo la nota. Hay grandes letras de molde escritas con un rotulador rojo en la hoja: ALÉJATE DE ELLA. TE ESTOY VIGILANDO.

–Da igual –dice–. Probablemente sería uno de los chicos que me estaba gastando una broma. Mira, tengo que irme antes de que me pillen los de seguridad. A lo mejor puedo entrar en otro momento.

–A lo mejor –asiento, sin dejar de aferrar la nota con la mano.

–¿Puedes decirle a Drea que no podré ir a desayunar con ella después de todo? Tengo entrenamiento de hockey.

Me trago la bola de fatalidad inminente que siento alojada en la garganta y consigo hacer un ligero asentimiento.

–Dile que Donovan va a estar en la habitación, así que puede mandarle la tarea por email y yo le diré que la imprima y me la dé antes de clase.

Tengo la cabeza llena de preguntas, pero en lugar de formularlas me limito a decir:

–Vale.

–Gracias, Stacey. Dale las gracias también a Dray. Le debo una muy gorda. Ah, y ¿puedes decirle que se asegure de cambiar un poco las respuestas? No quiero que el profesor piense que estamos copiando. –Me guiña el ojo.

Le digo adiós con la mano antes de cerrar la ventana con llave.

Ya está, ha sucedido. Ha cancelado la cita. Las cartas lo predijeron correctamente.

Once

Empujo la puerta de la sala de duchas y salgo pitando por el suelo de arcilla roja buscando a Drea. Hay una fila de chicas que esperan una cabina de ducha con los brazos llenos de champú afrutado y pastillas de jabón, pero Drea no es una de ellas. Escudriño los pares de pies que sobresalen por debajo de las cortinas en busca de los zapatos de goma de color rosa de Drea. Reparo en un par de sandalias de Oscar el Gruñón en la última cabina.

–¿Amber? ¿Eres tú? –zarandeo la cortina.

–Piérdete –responde una voz ronca que desde luego no es la de Amber.

Doblo la esquina junto a los lavabos y allí está Drea, frente al espejo, moldeándose el pelo con un secador.

Apaga el aparato.

–¿Qué pasa?

–¿Estás bien? –Estoy sin aliento. Miro por encima de su hombro y veo a Verónica Leeman, que finge cepillarse los dientes a escasos lavabos de distancia aunque es completamente obvio que nos está escuchando con disimulo.

–¿Tú estás bien? –pregunta Drea.

–Coge tus cosas y vámonos –respondo–. Tenemos que hablar.

–Si tú lo dices. –Drea se concentra en el espejo y saca un lápiz de labios de color rosa salmón de su bolsa de maquillaje. Se lo aplica y le tira besos a Verónica para mortificarla–. A Chad le encanta que me ponga este color.

Todo el mundo sabe que Verónica estaría dispuesta a prescindir de la laca durante todo un año solo por tener una cita con Chad. Drea me sonríe, orgullosa de ser tan perra.

–En realidad, Chad no puede ir a desayunar –intervengo, saboreando cada sílaba. Yo también puedo ser perra.

Verónica escupe la pasta de dientes en el lavabo de Drea y una gota del espumarajo de menta aterriza en su mejilla.

–¡Ten cuidado! –chilla, enjuagándoselo con una bola de algodón.

Verónica se planta frente al rostro de Drea.

–Si te vuelto a pillar a ti y a las perdedoras de tus amigas enseñándole las tetas a mi padre tendréis que responder ante mí.

–¿De qué estás hablando? –pregunta Drea.

–El que estaba anoche delante de vuestra habitación era mi padre –continúa Verónica–. Estaba buscando mi habitación y por desgracia encontró la vuestra. Es la que está en la planta baja, a la derecha, frente al jardín, ¿verdad? ¿Estáis tan desesperadas que tenéis que recurrir a los hombres de mediana edad?

–¿Tu padre está tan desesperado que tiene que recurrir a espiar por las ventanas de las adolescentes?

–Vete a la mierda –espeta Verónica–. Para tu información, trabaja en el turno de noche y tenía que pasarse por mi habitación para recoger unas llaves. No había nadie en el mostrador de recepción.

Drea rocía ráfagas de perfume en dirección a Verónica para ahuyentarla.

–Bueno, pues debió de gustarle lo que vio, porque esta mañana ha vuelto a por más.

–Para devolverme las llaves... aunque no es de tu incumbencia. –Verónica se aleja y Drea y yo nos miramos y rompemos a reír.

–No me sorprende que su padre sea un chiflado pervertido –comenta Drea.

–No puedo creer que fuera él –añado.

–Espera –me ataja Drea–. ¿Cómo que Chad no puede ir?

–Dijo algo de que tenía un entrenamiento de hockey temprano –explico–. Quiere que le mandes la tarea por email a Donovan para que la imprima y se la dé antes de clase.

–¿Por qué no va Donovan al entrenamiento de hockey? Es el centrocampista estrella.

Drea arroja el lápiz de labios al lavabo.

–Estoy harta de que me mienta y pase de mí. Igual que la semana pasada. Me contó una patética historia de que iba a visitar a su abuela enferma.

–Llevaba la máscara de hockey –digo–. Sabes lo que significa esto, ¿verdad? Las cartas eran correctas. Ha cancelado la cita.

–Tengo cosas más importantes en qué pensar que las cartas.

–¿Más importantes que tu vida?

Drea intenta apartarme de un empujón, pero le agarro el brazo y le doy la vuelta.

–Tu numerito de niña malcriada no va a funcionar esta vez –le advierto–. Voy a ayudarte te guste o no.

Me mira fijamente durante unos segundos, como si no quisiera escucharme pero estuviera demasiada asustada para escapar.

–No puedo afrontar esto en este momento.

–Pues lo siento, pero no tienes elección. Eres mi mejor amiga y no quiero que te pase nada.

Llevo a Drea a una cabina de aseo en busca de intimidad, saco la nota arrugada que tengo en el centro de la palma de la mano y la dejo caer en la suya.

–¿Qué es esto?

–Ábrelo –digo–. Estaba pegado a la camiseta de hockey de Chad. Se la han devuelto. La han metido en su buzón junto con esta nota.

–¿*"Aléjate de ella. Te estoy vigilando"*? –lee Drea–. Espera, estoy confusa; pensaba que era yo la que tenía que recibir una nota.

–Lo harás –afirmo–. Otra nota. Dirigida a ti. Estoy segura.

–¿Quién es la *"ella"* de la nota? –pregunta.

–¿Tú qué crees?

Drea sonríe.

–Soy yo, ¿verdad?

–No se trata de un cumplido, Drea. Esto es serio. El que le envió esta nota a Chad está empeñado en asegurarse de que deje de andar contigo. Puede que Chad también corra peligro.

La sonrisa de Drea se marchita.

–Eso no tiene sentido. ¿Por qué querría alguien hacerle daño a Chad?

–Porque, quienquiera que sea, te quiere para él solo.

–¿Así que estás segura de que es un tío?

–¿Quién sabe? Has cabreado a bastantes chicas por aquí. –Extiendo el papel sobre la pared y lo aliso con los dedos para sentir el granulado. Hay una leve vibración que emana de la palabra *ella*. Recorro las letras con los dedos y me concentro en cada una de ellas. Después cierro los ojos y me llevo el papel a la nariz.

–¿Qué? –pregunta Drea–. ¿Qué es?

–Lirios –contesto–. Como en mi sueño. Había lirios.

–¿Qué tienen que ver los lirios con esto? –pregunta–. Solo son flores.

–Los lirios son las flores de la muerte.

–Me estás asustando.

–Estamos en esto juntas –declaro, cogiéndole la mano y sosteniéndola–. Si podemos predecir el futuro, podemos cambiarlo.

–Pues vaya con el destino.

–Hacemos nuestro propio destino –afirmo–. No voy a permitir que te pase nada.

–¿Me lo prometes?

Asiento y pienso en Maura.

–Eres mi mejor amiga –dice.

Me inclino y le doy lo que ambas necesitamos, un fortísimo abrazo.

–¿Puedo pedirte una cosita nada más? –pregunta Drea.

–Cualquier cosa.

–¿Podemos salir de este cabina ya?

–Por supuesto –me río entre dientes–. Todavía nos queda media hora antes de las clases; es decir, si nos saltamos el desayuno.

–No creo que pueda comer nada.

–Vamos a la habitación a trazar un plan.

Cuando salimos de la cabina, todo el cuarto de baño está vacío. Menos lo que nos espera.

Está en el ancho del lavabo. Se trata de una voluminosa caja rectangular envuelta en papel de color rojo cereza con un lazo plateado. Viene acompañada de una carta colocada en la parte superior con el nombre de Drea escrito con las mismas letras de molde rojas que la nota de Chad.

Busco la mano de Drea, pero le tiembla sobre la boca. Un jadeo entrecortado emana de su garganta, como si le faltara el aire.

–Drea, ¿estás bien?

Pero sus ojos ni siquiera están fijos en el paquete. Están fijos en las palabras de color rosa salmón que se extienden por el espejo. Alguien las ha escrito usando el lápiz de labios que se ha llevado a los labios hace escasos minutos: TE ESTOY VIGILANDO, DREA.

Doce

–¿Drea? –Le pongo la mano en el hombro–. ¿Te encuentras bien?

Ella consigue asentir, pero sigue resollando. Le cojo la mano y la aparto del espejo y de la mancha rosa de lápiz de labios que han garabateado sobre él.

Aquello parece servir de algo. Al cabo de unos segundos sus jadeos se vuelven menos violentos, menos desesperados.

–Lo superaremos –le aseguro, pero ni siquiera estoy segura de que me oiga. Tiene los ojos cerrados, como si se estuviera concentrando intensamente en recuperar el aliento–. Estoy aquí.

Pero también lo ha estado la persona que ha dejado este regalo. Miro hacia la puerta. Me saca de quicio que la sala de duchas se encuentre en la planta baja de nuestro edificio. Si la puerta de salida del pasillo no está cerrada con llave, como sucede a menudo cuando los de mantenimiento están limpiando, es como si cualquiera pudiera entrar desde el exterior.

Me pregunto si alguien habrá visto al que ha hecho esto. Si tiene algo que ver con ese tío con el que habla Drea. Pero quizá ni siquiera sea un *tío*. Quizá sea una chica que está enamorada de Chad pero que no puede acercarse a él debido a Drea.

Quizá sea alguien como yo.

Elaboro una lista mental de todas las chicas que se enamoraron de Chad el curso pasado. Pero aparte de mí y de Drea la única que se me ocurre es Verónica Leeman. Verónica, que ha estado aquí hace apenas unos minutos, que le ha escupido pasta de dientes a Drea y nos ha echado una bronca por enseñarle las tetas a su padre.

—Drea, ¿te encuentras bien? —Aprieto sus dedos de muñeca de porcelana.

Ella asiente.

—He sufrido un ataque de pánico. No había tenido ninguno desde la escuela secundaria.

—¿Quieres ir a ver a la enfermera?

—No. Solo quiero saber quién ha hecho esto. Vamos a abrirlo —dice, refiriéndose al paquete.

—¿Estás segura?

Ella asiente y se enjuaga el hilillo de lágrimas que se desliza por sus mejillas.

—Tengo que saberlo. —Se dirige lentamente hacia el regalo envuelto y se vuelve para mirarme—. ¿Quieres ayudarme?

—¿Quieres que lo abra yo?

Ella asiente.

—Yo abro la tarjeta y tú el regalo. ¿Trato hecho?

—Trato hecho. —Me siento en el banco con el paquete en el regazo y el sobrecito blanco con el nombre de Drea boca arriba. Le pongo el sobre en la mano y la miro mientras lo rasga con el dedo pulgar. Extrae un pliego de papel rayado con los bordes desiguales recién arrancado de un cuaderno de espiral.

Lo desdobla, alisa los dobleces y lee el mensaje.

—Esto no tiene sentido. —Niega con la cabeza con las facciones crispadas.

—¿Qué dice? ¿Puedo verlo?

Pero ella no se mueve ni responde.

—¿Drea? —Atisbo la nota entre sus dedos. Es igual que la de Chad, con letras de molde escritas con rotulador rojo: CUATRO DÍAS MÁS.

Cuando la miro reparo en las lágrimas nuevas que le enturbian las mejillas. Le rodeo los hombros con los brazos y le acaricio el pelo y la espalda, tal como me abrazaba mi abuela.

–No tenemos que abrir la caja ahora –susurro–. Podemos esperar hasta después de clase, cuando nos sintamos mejor. O puedo abrirla yo sola más tarde.

–No –responde, enjuagándose la cara–. Ábrela ahora. Tengo que saberlo ahora.

Asiento, pues entiendo perfectamente lo que siente. Yo también he de saberlo.

Desato la cinta del paquete y toco lentamente el envoltorio, despegando cuidadosamente los paneles, procurando percibir cualquier vibración que emane del papel. Finalmente, cuando el paquete está desenvuelto, tengo en el regazo una caja alargada de cartón de color blanco. Sonrío, un tanto aliviada, aunque no tengo ni idea del motivo. Alzo la vista hacia Drea, que tiene el mismo aspecto. Retiro la tapa y examino el contenido: cuatro lirios recién cortados.

–Lirios –observa Drea, tragando saliva–. La flor de la muerte. ¿No es eso lo que has dicho?

Asiento. Ya no sirve de nada mentir. La fuerza viene con la honestidad.

–Así que cuatro lirios. Faltan cuatro días para que muera, ¿no? –Le tiemblan los labios, pero en lugar de llorar rompe a reír, prorrumpiendo en carcajadas histéricas. Coge un lirio de la caja y se lo sacude contra la nariz–. Supongo que era demasiado tacaño para marcarse una docena. O a lo mejor una docena le habría parecido esperar demasiado. Oye, si lo hace para el viernes, no tendré que hacer el examen de trigonometría. ¿Crees que puedo pedirle que lo adelante?

Le toco la mano y le acaricio la espalda, observando cómo estos gestos sencillos convierten las risotadas en lágrimas. Ella se oculta el rostro con las manos y se desploma en mis brazos. No sé qué hacer. No sé qué decirle para que se sienta mejor. La acuno en el banco y siento que se me tensa un nervio de la nuca.

El sonido de unos pasos llega hasta nosotras desde la hilera de duchas. Me pongo en pie, pisando accidentalmente el papel del envoltorio y produciendo un leve rumor.

Los pasos se detienen.

Drea me sujeta el brazo para retenerme. Me llevo el dedo a los labios para acallarla, doy un paso hacia los lavabos y me dispongo a asomarme por el recodo.

Quizá la persona que ha dejado este regalo siga aquí, esperando.

—Stacey —susurra Drea—, ¿qué estás haciendo?

Me asomo por el recodo pero no veo a nadie, tan solo una hilera de cabinas de ducha desocupadas con las cortinas abiertas. Me zafo de la presa de Drea sobre mi antebrazo y empiezo a recorrer la hilera de cabinas. Es entonces cuando me doy cuenta, las dos del final tienen las cortinas cerradas.

Se escucha un sonido metálico procedente de la última cabina. Meto la mano en el bolsillo para agarrar el llavero, y preparo la llave más afilada para protegerme.

—Sé que estás ahí —exclamo—. Sal y déjate ver.

Un par de pies calzados con unos ruidosos zapatos de piel negra avanzan un paso hacia la cortina.

—¡Sal! —exijo.

—¡Stacey! —grita Drea.

Una bufanda de gasa blanca asoma desde detrás de la cortina, balanceándose hacia delante y hacia atrás. Miro con más atención. La bufanda tiene patos amarillos estampados en los bordes. Solo puede tratarse de una persona.

—Me rindo —chilla Amber al tiempo que salta de la cabina—. No me hagas daño.

Emito un suspiro prolongado, embargado de alivio, y dejo de aferrar la llave.

—Amber, ¿qué estás haciendo aquí?

Drea aparece desde detrás de la pared para unirse a nosotras.

—Casi nos matas del susto.

—Lo siento —dice, golpeando su fiambrera metálica del pato Lucas contra la pared—. Solo estaba espiando un poco. No pensé que os lo tomaríais tan en serio.

—¿Cómo nos lo vamos a tomar? —pregunto.

Se ata la bufanda de patos alrededor del cuello de modo que sobresalga ligeramente por la camisa del uniforme, apenas lo suficiente como para cabrear al señor Gunther, el profesor de álgebra de primera hora, y ganarse un castigo del copón.

—Os estaba buscando, chicas —asegura—. ¿Vais a venir a desayunar?

—¿Cuánto tiempo has estado aquí? —pregunta Drea.

—No lo sé. Unos dos minutos.

—¿Has visto pasar por aquí a alguien con un regalo? —pregunta Drea.

—¿Lo has recibido?

Drea asiente.

—La hostia. —Amber cierra los ojos con fuerza para enfatizar sus palabras, revelando dos patos más que se ha dibujado en los párpados con lápiz de ojos marrón y amarillo—. ¿Qué es?

—Ya te lo explicaremos —digo—. No quiero hablar aquí.

—Qué guay es todo esto —exclama Amber—. Es como una película de terror cutre o algo así. Me siento como... ¿quién es la tía del *Halloween* original?

—¿Te refieres a Jamie Lee Curtis? —sugiero.

–Sí, me siento como ella.

–Amber –insisto–, esto es serio. No es para que te diviertas.

Ella mira a Drea, que se encuentra al borde del llanto.

–Ah, sí. Perdona, Dray. A veces puedo ser un bicho insensible.

–Una cucaracha –la corrige Drea.

–Eso. –El teléfono móvil de Amber suena en el interior de su fiambrera. Ella lo ignora por cortesía–. Decidme qué puedo hacer para ayudaros y lo haré.

–Tenemos que hacer un pacto –declaro–. Aquí y ahora. –Extiendo la mano en el aire, boca abajo. Drea pone la suya sobre la mía. Amber hace lo mismo, hasta que nuestras manos forman un cúmulo de quince centímetros de alto–. Cerrad los ojos y repetid lo que yo diga –prosigo, sintiendo que la calidez de sus manos envuelve las mías–. Por el secreto.

–Por el secreto –dice Drea.

–Por el secreto –repite Amber.

–Y por la honestidad y la fuerza –añado.

–Y por la honestidad y la fuerza –repiten ambas sucesivamente.

–O la muerte nos separará sin duda –termino.

–O la muerte nos separará sin duda –dice Drea.

–O la muerte nos separará sin duda –hipa Amber.

Abrimos los ojos y los clavamos las unas en las otras durante unos segundos sin decir palabra. Después retiramos las manos.

TRECE

El desayuno ya ha terminado cuando salimos del cuarto de duchas. De modo que esperamos (la jornada escolar más larga del curso) hasta después de las clases para volver a la residencia y trazar un plan. PJ quería acompañarnos, pero le dijimos que necesitábamos algún tiempo para establecer vínculos femeninos. No se opuso. Solo prometió que pasaría por allí para escucharnos a hurtadillas.

Nos sentamos en el suelo formando un círculo, con una gruesa vela púrpura en el centro. En este punto me encuentro más allá del cansancio, apenas puedo concentrarme. Necesito tiempo para elaborar un plan, pero también para dormir, para revivir mis pesadillas y averiguar lo que significa todo esto.

Amber se entretiene arrancando los pétalos de los lirios de los tallos y dejándolos caer en la vasija de arcilla anaranjada.

–Deja los tallos a un lado –le digo–. Puede que los necesitemos más adelante.

Drea saca una nueva barrita de chocolate de la nevera. Retira el envoltorio y le da un bocado, y durante un efímero instante de mezquindad me pregunto por qué toda esa azúcar nunca llega a la parte posterior de sus muslos.

–¿Crees que deberíamos contarle a los de seguridad del campus lo de la nota? –pregunta Amber.

–No –dice Drea–. Llamarán a mis padres y entonces tendré agentes de seguridad siguiéndome incluso al cuarto de baño. No, gracias.

–A lo mejor sí que deberíamos hacerlo –observo.

–Sí, les diremos que alguien me ha regalado flores junto con una tarjeta que dice: "cuatro días". Qué amenazador –se burla–. Cuatro días podría significar cualquier cosa. Podrían ser cuatro días hasta que tenga el periodo, por el amor de Dios. Cuatro días hasta que se congele el infierno.

–¿Es eso lo que crees de verdad? –pregunto.

–No lo sé, Stace. ¿Tú qué crees? Quizá deberías llamar a la policía. Quizá deberías contarles todo lo de tus premoniciones y el simbolismo de los lirios. No pensarán que estamos locas ni nada.

–¿Por qué te comportas así? –pregunto.

–A lo mejor tiene algo que ver con el hecho de que alguien quiere matarme.

Cojo la mochila de la cama y saco tres limones (cortesía de la señora del comedor) del bolsillo lateral.

–No. Quiero decir que por qué te opones tanto a acudir a la policía.

Amber deja de arrancar pétalos para escuchar su respuesta.

–Porque a lo mejor sé quién es.

–¿Lo sabes?

–A lo mejor.

–¿Quién? –pregunto.

–A lo mejor es Chad.

–¿*Chad*? ¿Por qué iba *Chad* a hacer esto?

–¿Por qué va a ser? Para asustarme, para que vuelva corriendo con él. Para recuperarme, básicamente.

–Eso es una tontería –tercia Amber.

–¿Qué puedo decir? Es un chico. A lo mejor esta es su forma de que estemos más unidos.

–No lo creerás de *verdad*, ¿no? –Amber pone los ojos en blanco como si le hablase a la grieta del techo.

–¿Qué otra cosa debo pensar? –Drea se abraza las piernas con fuerza y las cruza por los tobillos de tal modo que forman un corazón de San Valentín debajo de su barbilla.

–Si quisiera estar tan unido a ti, ¿por qué iba a cancelar vuestra cita para desayunar?

Cojo los limones y los corto por la mitad con un cuchillo de plástico.

Drea se encoge de hombros. Da un enorme mordisco al chocolate, de modo que le resulta difícil responder a más preguntas. No creo que realmente piense que Chad está detrás de todo esto, pero me parece que esa es la única explicación que su mente le permite digerir en este momento.

–En fin, ¿qué estamos haciendo con estos lirios, de todas formas? –pregunta Amber, poniéndose una flor detrás de la oreja.

–Bueno –digo, quitándosela–, primero vamos a empaparlos en zumo de limón y vinagre. Y luego vamos a meterlos en una botella con alfileres y agujas.

–Lo que yo pensaba –responde Amber, poniendo los ojos en blanco. Le arrebata la barrita de chocolate a Drea en mitad de un mordisco y rompe un trozo para ella–. Me muero de hambre. ¿Habéis visto la aguachirle de gelatina que estaban sirviendo hoy en el comedor? Completamente asqueroso.

–Yo no tenía hambre –dice Drea, quitándole la barrita de chocolate.

Cojo uno de los lirios y admiro los pétalos fuertes y anchos, cómo se abren con una forma de campana perfecta. Recorro los sedosos hilos con las yemas de los dedos.

–La persona que ha dejado esto –anuncio– es alguien muy cercano a ti. –Cierro los ojos y deslizo el dedo pulgar y el índice a lo largo del tallo para sentir su tersura. Percibo que estuvo empapado en agua durante algún tiempo, al menos un par de días, y que una mano delicada cortó el extremo. Muevo los dedos hacia arriba para acariciar una hoja. Me detengo, la aprieto entre los dedos y palpo las venas para cerciorarme. Las venas se desplazan en línea recta hasta la punta, pero luego se bifurcan en minúsculas uves que discurren hacia el este y el oeste–. Percibo una especie de refugio.

–¿Qué clase de refugio? –pregunta Drea.

Niego con la cabeza, frustrada por no poder decir nada más. Me llevo el pétalo a la nariz.

–Tierra –asiento–. Huele a tierra.

–Bueno, vienen de una floristería –dice Amber–. Allí hay tierra.

–No –insisto, volviendo a olisquear–. Tierra. Me rodea por todas partes. –Dejo caer el lirio en mi regazo y me huelo los dedos. La terrosa fragancia está en todas partes, en mis manos, en mi ropa, enredada en mi pelo.

Cierro los ojos y procuro concentrarme en el aroma. Visualizo la polvorosa masa marrón removida, que en diversos puntos cambia de color, abarcando desde el dorado y el avellana hasta el castaño oscuro, casi negro. Me pongo los dedos en las aletas de la nariz para oler la piel rosada, aspirando cada uno de los granos del espíritu terroso. Puedo visualizar la tierra que forma una especie de pila elevada. Con forma de cono, como un tipi.

–Alguien está cavando algo.

–¿El qué? –pregunta Amber.

Abro los ojos y niego con la cabeza.

–No lo sé.

–Bueno, tenía que ser yo la que atrajera a un sucio come-tierra –interviene Drea.

–*Saca*-tierra –la corrige Amber.

Casi me sorprende que bromeen al respecto, sobre todo Drea. Pero parece que ese es el único modo en que puede tragarse la noticia y reprimirla.

—¿Cuándo aprendiste a hacerlo? —pregunta Amber.

—¿El qué?

—Leer cosas así.

—Es extraño —explico—. Pero me parece que siempre lo he tenido, como si hubiera estado ahí desde siempre, aunque yo no fuera lo bastante mayor para aceptarlo ni entenderlo. Tocaba algo y recibía imágenes mentales, sensaciones intensas. No me pasaba siempre; ni ahora tampoco. Practicaba en casa con las llaves de mi madre o con el reloj de un vecino y no sentía nada. Luego iba a alguna parte, por ejemplo a casa de una amiga, cogía un trapo de cocina y percibía un divorcio.

—Yo no querría sentir cosas así —dice Drea.

—Yo sentía lo mismo. Pero intento considerarlo un don; ya sabes, una manera de ayudar a la gente.

—Mis padres se van a divorciar —comenta Drea—. No te hace falta que vayas tocando trapos para decírmelo.

—Hey, Stace, ¿puedes usar ese rollo psíquico para decirme si Brantley Witherall me va a invitar al baile de graduación de este año? —Amber coge el bolso-fiambrera y lo abre. Saca un teléfono móvil verde fluorescente decorado con pegatinas de pequeñas mariquitas y un cargador de teléfono a juego.

—¿Brantley Witherall, el que se da la vuelta a los párpados para divertirse? —interviene Drea—. Solo se puede soñar.

—A lo mejor invito a Donovan al baile. Ayer me sonrió en el comedor. —Amber esboza una sonrisita complacida mientras enchufa el cargador del teléfono. Aunque Drea no tiene absolutamente ningún interés en Donovan, sigue creyendo que su afecto le pertenece.

–¿Para qué necesitas un teléfono móvil? –pregunta Drea–. Estás todo el día con nosotras. ¿Quién te llama?

–PJ.

–Deberíais volver a salir juntos –observa Drea–. Él se muere de ganas.

–¿A que te encantaría? –replica Amber.

–¿Qué significa eso?

–A lo mejor te propones eliminar a la competencia.

–Por favor –dice Drea–. Me parece que ni siquiera estamos jugando en la misma liga.

–¿Podéis dejarlo, chicas? –Arranco los pétalos restantes de los tallos y acaricio su blancura con los dedos–. Se supone que estamos trabajando juntas.

El teléfono suena, haciendo un agujero en nuestra conversación.

–Yo lo cojo. –Amber alarga la mano para coger el auricular–. ¿Diga? ¿Digaaa? –Espera un par de segundos antes de desconectar el teléfono.

–¿Otra llamada anónima? –pregunto.

Amber se encoge de hombros.

–Probablemente sería PJ. No acepta que se le de un "no" por respuesta.

–No era PJ –digo–. ¿Verdad, Drea?

–¿De qué estás hablando? –pregunta Drea.

–¿Cuántas llamadas anónimas y amenazas tenemos que recibir para que empieces a tomarte esto en serio? ¿Nos vas a contar lo de ese tío o qué?

El teléfono vuelve a sonar.

–Yo lo cojo –dice Drea.

–Pasa la llamada al altavoz –sugiero–. Así todas podremos escucharlo.

–No –dice Drea–. Esto no tiene nada que ver con él.

–Bueno, en ese caso déjanos escuchar. Si suena bien, apaga el altavoz y nunca volveré a mencionar su nombre.

–Si no sabes cómo se llama –me corrige Amber.

Drea se encoge de hombros. Puedo percibir que una parte de ella desea hacerlo. Sé que pasa algo con este tipo. Y sé que por eso quiere mantenerlo en secreto.

–De acuerdo –accede–. Pero preparaos para meter la pata. –Pulsa el botón del altavoz y acto seguido el del auricular–. ¿Diga?

–Hola –responde él–. Soy yo. –Tiene la voz gruesa, como la arena de la playa.

–¿Cómo estás? –pregunta Drea.

Silencio.

–¿Diga? –repite Drea.

–Ni se te ocurra creerte más lista que yo –dice él.

–¿De qué estás hablando?

–Sé que ahora mismo me has pasado al altavoz. Y sé que tus amigas me están escuchando.

–No –protesta Drea, inclinándose sobre el altavoz–. Estoy yo sola.

–No me mientas –insiste él con tono severo y cortante.

–¿Qué quieres? –pregunto, mirando hacia la ventana, preguntándome si está en alguna parte, observándonos.

–Esto es entre Drea y yo, Stacey. No tiene nada que ver contigo. Además, yo no creo en las brujas.

Una pausa de cinco kilos se desploma en medio de nosotras. Nos miramos fijamente. Sé que todas debemos de estar preguntándonos lo mismo: ¿cómo sabe mi nombre?

–¿Por qué haces esto? –La voz de Drea se debilita–. Creía que éramos amigos.

–Y yo creía que éramos mucho más que amigos. Al menos eso fue lo que me dijiste la otra noche. Pero desde entonces no has sido lo que se dice fiel.

Las mejillas de Drea se sonrosan, como si tuviera rosas debajo de la piel.

–¿Has recibido mi regalo? –pregunta.

–¿Esos lirios eran tuyos?

–Cuatro –dice–. Por el número de días que quedan hasta que nos veamos.

–¿Por qué te comportas de esta forma? Antes no eras así.

–Ni tú. Cuatro días, Drea. Casi no puedo esperar. –*Clic.*

–Su voz me resulta muy familiar –comento.

–Devuelve la llamada –sugiere Amber.

Pulso el botón del auricular para marcar, esperando oír la voz de la operadora anunciando que el número está bloqueado. Pero por el contrario una voz mecánica recita una serie de números. Amber se los anota rápidamente en el dorso de la mano con un lápiz de ojos.

–¿Y ahora qué? –pregunta Drea–. ¿Lo llamamos?

–¿Por qué no? –Amber coge el auricular del teléfono–. Que este chiflado sepa a quién se enfrenta.

–No, no lo hagas. –Drea le arrebata el teléfono y se lo mete debajo de la pierna.

–¿Por qué? –pregunta Amber.

–Espera –murmura–. Quiero esperar. –Se mete el teléfono más dentro del muslo.

–¿Esperar a qué? Si le devolvemos la llamada ahora mismo a lo mejor todavía está. –Amber se toca ligeramente el lápiz de ojos azul de la mano y se lo difumina sobre el párpado a modo de sombra–. Hey, por lo menos ahora sabemos que no es Chad. Este no es su número.

El sonsonete del tono de llamada descolgado, solo levemente amortiguado por la pierna de Drea, resuena como un grito incesante entre las tres.

–¿Qué crees que quería decir con eso de que no has sido fiel? –pregunto–. ¿Crees que se refiere a tu cita para desayunar con Chad?

–Ya no sé nada –responde Drea.

–A lo mejor sí que es Chad –dice Amber–. A lo mejor está celoso por cómo te fuiste del comedor con Donovan. Puede que esté usando el teléfono de otro.

–Cuatro días –susurra Drea. Se moja los dedos en la vasija de los pétalos–. ¿Cómo se supone que me va ayudar esto?

Cojo la botella de cristal de la ventana y la pongo frente a ella. Es esbelta, un poco más pequeña que una de esas antiguas botellas de Coca Cola, y antaño se usaba para guardar sal marina.

–Ya se ha bañado en la luz de la luna –digo.

Drea la coge y golpea enérgicamente la base con el puño, como si estuviera intentando romperla entre sus manos.

–Drea... –Amber alarga la mano para tocarle el antebrazo–. Todo saldrá bien.

Aprieto las rodajas de limón sobre la vasija de los pétalos y el zumo llueve en forma de gotas henchidas de pulpa. Usando el tapón, corto la mezcla con tres gotas de vinagre que saco de la tapa y lo revuelvo todo con los dedos. El contenido de la vasija se calienta en mi mano mientras los pétalos se empapan.

Juntas, Drea y yo empujamos con los dedos los pétalos húmedos y pegajosos por el cuello de la botella, tratando de asegurarnos de que todas las gotas lleguen al interior.

–Toma –le digo al tiempo que le entrego un pequeño recipiente de madera que cabe en la palma de la mano.

Ella lo abre y contempla una colección de agujas y alfileres brillantes.

–Mete las que creas que necesitarás para protegerte –le explico.

–¿Lo dices en serio? ¿Tengo que detener a este tío con agujas de coser?

–Llénala –insisto–. Es una botella de protección. Has de tenerla siempre cerca.

Amber y yo la observamos mientras introducía todos los alfileres y las agujas en la botella. Cuando termina, inclino la vela sobre el cuello de modo que las gotas de cera formen un sello.

–Concéntrate en el concepto de protección. ¿Qué significa la protección para ti?

–Probablemente no significa lo mismo que para mí. –Amber sube y baja las cejas y nos muestra un paquetito de color verde neón que saca de la fiambrera del pato Lucas.

–Eso es un tatuaje temporal –repone Drea–. Yo estaba delante cuando lo sacaste de la máquina.

Amber lo mira.

–¿Y qué? Lo que cuenta es el concepto.

–Shh –interrumpo–. Drea, debes concentrarte. ¿Qué ideas o imágenes te vienen a la cabeza cuando piensas en protección?

Miro a Amber, que está ocupada desenvolviendo el paquete de tatuajes. Dentro hay una imagen de una gallina sonriente. Ella se arremanga y se la aprieta contra el antebrazo.

–Amber... –digo.

–De acuerdo. –Vuelve a arrojar el tatuaje a la fiambrera.

–Vamos a cogernos de la mano –prosigo.

Pongo la botella de protección en el centro y unimos nuestras manos a su alrededor, formando un triángulo humano con nuestros cuerpos.

–Cerrad los ojos –digo– y concentraos en la botella. Empiezo yo. Cuando pienso en protección pienso en la luna. Pienso en la naturaleza: en la lluvia, el cielo y la tierra. Pienso en la verdad.

–Igual que yo. –Amber abre brevemente un ojo al mismo tiempo que yo–. Cuando pienso en protección –empieza– pienso en guardias armados, muchos guardias armados, con manos fuertes y con grandes, palpitantes y masculinos...

–¡Amber! –exclamo.

–Bíceps –termina ella–. ¿Qué iba a ser?

–Cuando pienso en protección –interviene Drea–, pienso en mis padres, tal como eran antes, cuando me sentaba entre ellos en la cama a ver películas. Cuando dábamos paseos y los dos me cogían de la mano. Cuando se querían... Eso siempre hacía que me sintiera segura.

Le aprieto la mano, transmitiendo el gesto alrededor del círculo hasta que vuelve a mí a través de la mano de Amber.

–Botella de protección –invoco–. Ayúdanos a proteger a Drea por medio de los poderes de la Madre Tierra, de los ángeles de la guarda y del amor paternal. Bendito sea el camino.

–Bendito sea el camino –repite Drea.

–Bendito sea el camino. –Amber abre los ojos y le entrega la botella a Drea.

–Ya estoy lista –anuncia Drea–. Vamos a llamar.

–Tengo una idea mejor –propone Amber. Hurga en la fiambrera y extrae una agenda de teléfonos–. Stace, ¿tienes un directorio de alumnos? Podemos encontrar el número y comprobar a quién le pertenece. Si es alguien del campus estará ahí.

–Tengo uno en la mesita de noche –dice Drea–, pero tiene unas veinte páginas. Podríamos tardar una eternidad.

–Bueno, yo no tengo nada mejor que hacer –responde Amber.

Saco el directorio del campus del cajón y me siento junto a Drea con las páginas desplegadas sobre nuestro regazo. Recorremos con la mirada las largas listas de números mientras Amber hojea su agenda.

–Ese tío tendría que ser un estúpido para llamarnos desde su dormitorio de la residencia –digo mientras paso una página.

–Espera un segundo –ataja Amber–. Ya lo tengo. –Golpetea el número con el dedo.

–¿Ya? –pregunto.

–Sí. Es la cabina telefónica. La que está al lado de la biblioteca.

–¿Puedo preguntarte *por qué* tienes los números de las cabinas telefónicas anotados en la agenda? –pregunta Drea.

–Porque sí. Ya sabes, por si me hace falta. Por si quiero que alguien me llame ahí. Es caro meter tantas monedas.

–Pero tienes teléfono móvil –observa Drea.

–¿Qué estás insinuando? –Amber cierra la agenda y la esconde.

–Me parece bastante raro –contesta Drea–. Un tío quiere matarme y resulta que tú tienes su número en el bolso.

–No es *su* número.

–Parad –interrumpo–. Esto no conduce a nada. Tenemos que confiar en las demás. Recordad nuestro pacto. –Observo cómo Drea aprieta las mandíbulas.

–Yo digo que vayamos –insiste Amber–. Si ese capullo ha usado ese teléfono puede que todavía ande por allí. Por lo menos en la biblioteca.

–Podría ser cualquiera –objeta Drea, mirando a Amber–. Hasta dos personas trabajando juntas.

–Mirad –digo–, si vamos juntas...

–De acuerdo. –Drea aferra la botella de protección–. Vamos.

CATORCE

Drea, Amber y yo vamos corriendo al edificio O'Brian, que está separado de la biblioteca del colegio por una pista de tenis de tierra batida. No sé si esto surtirá efecto. Solo un completo imbécil se quedaría cerca del teléfono que acaba de usar para hacer una llamada amenazante. Pero supongo que hay muchos imbéciles en este mundo. Miro a Amber, por ejemplo. Se ha levantado la falda, asiendo el tejido de lana entre los dientes, y está dando saltos para colocarse los leotardos a tirones.

–Vale –dice Amber, cogiéndome el brazo–. Tenemos que comportarnos con naturalidad. Ya sabes, como si realmente viniéramos a sacar un libro o algo así.

–¿Tú? ¿Amber Foley, la que compra los trabajos de clase en internet? ¿Buscando un libro? –se burla Drea–. Quienquiera que sea sabrá que lo hemos descubierto en cuanto subamos las escaleras.

–Para tu información, yo voy a la biblioteca por lo menos una vez cada trimestre. –Amber se coloca un lapicero de Hello Kitty detrás de la oreja–. ¿Soy la imagen de una alumna aplicada o qué?

–Eres la imagen de algo –admite Drea. Se dirige a la esquina del edificio y asoma la cabeza unos centímetros para mirar–. Ay, Dios mío. Es Donovan.

–¿En la biblioteca? –pregunto.

–No. Está saliendo de O'Brian. –Drea aparta la cabeza y aspira una honda bocanada de aire–. Me parece que viene hacia aquí.

–¿Y qué? –respondo–. No está prohibido salir a dar una vuelta. Nos comportaremos con normalidad.

Drea se mete la botella de protección en la cintura de la falda y se tapa el bulto con el jersey.

–Buena idea –comenta Amber–. Seguro que nadie mira ahí dentro.

Normalmente, Drea contraatacaría con algún comentario, pero en cambio retrocede contra el edificio y empieza a respirar de forma extraña, resoplando.

–Drea, ¿te encuentras bien? –pregunto.

Ella niega con la cabeza y aprieta los labios.

–¿Qué pasa? ¿Crees que es Donovan?

–Ese es el problema. –Se tapa los ojos con la manga–. No sé quién es. Ya no sé en quién puedo confiar. –Mira a Amber con gigantescos ojos de pez, esperando, creo, una dosis de palabras que disipen todas las dudas que pueda albergar. Esperando que Amber vuelva a explicar, desde el principio, por qué tiene el número de la cabina telefónica en el bolso.

Pero Amber está demasiado ocupada ignorándola para darse cuenta.

Donovan dobla la esquina y da un respingo al vernos prácticamente pegadas a la pared de ladrillos.

–Coño –farfulla–. Me habéis dado un susto de muerte, tías.

–Hey, Donovan –dice Amber, con una sonrisa nerviosa en el rostro.

Él asiente.

–¿Qué estáis tramando, chicas?

–¿Ves a alguna chica por aquí? –Amber se da un último y enérgico tirón al fondillo de los leotardos–. Somos *mujeres*.

–Solo estábamos dando una vuelta –digo, aunque ni siquiera sé por qué me molesto. Si los ojos de Donovan hicieran pinceladas Drea ya parecería un Picasso.

–Oye, Drea –dice, hundiendo la puntera de la Doc Marten en la tierra–. ¿Este fin de semana vas a venir al partido de hockey? Como juega Chad y eso.

–No estoy segura. Todavía no he hablado con él. –Drea entrelaza las manos encima del bulto del jersey y expulsa una gran bocanada de aire–. La verdad es que íbamos corriendo a la biblioteca. Deberíamos ponernos en marcha.

–Claro –responde él–. Solo te lo preguntaba porque algunos vamos a salir después. A lo mejor pillamos algo de comer.

–Jugadores de hockey y comida. –Amber da un gigantesco paso hacia Donovan, aterrizando debajo de su nariz–. No tendrás que pedírmelo dos veces. ¿A qué hora tengo que estar allí?

–No lo sé –dice Drea–. A lo mejor tengo cosas que hacer.

–Quizá en otra ocasión. –Sigue contemplándola unos segundos antes de alejarse, sin molestarse siquiera en despedirse de Amber y de mí.

–Ay, Dios mío –dice Amber, cuando ya no está al alcance de su oído–. Hay que ver cómo te desea. –Se asoma por la esquina del edificio para observarlo mientras se aleja–. No creerás que es él, ¿verdad?

–Lo conozco desde tercero. –Drea se saca la botella de protección de debajo del jersey y la sujeta con ambas manos.

Amber ladea la cabeza para formarse una opinión sobre los atributos de Donovan desde atrás.

–No está mal. Yo diría que un ocho en una escala del uno al diez. ¿Qué te parece, Stace?

–Me parece que no puedo creer que siga invitando a salir a Drea después de tantos años.

–Es doloroso –corrobora Amber.

–¿Habéis visto cómo me estudiaba? –pregunta Drea.

–Pero si *siempre* te estudia –digo.

–No. Lo de hoy ha sido distinto. Más intenso.

–Sí que es un artista –tercia Amber–. Me encantan los artistas.

–Te encanta todo el mundo –dice Drea.

–¿Acaso percibo una nota de celos? –Amber saca pecho–. El chico *es* caza legal. A lo mejor le dejo esculpirme.

–No creo que le guste el arte abstracto. –Drea besa la botella de protección y vuelve a metérsela en la falda–. Venga, vamos a la biblioteca antes de que cambie de opinión.

Doblamos la esquina del edificio con disimulo, y aunque parece que todo ha cambiado de algún modo (en quién podemos confiar, qué podemos decir y dónde podemos decirlo), la biblioteca se nos presenta como cualquier otro día, como una gigantesca armónica de ladrillo arrojada desde el espacio exterior. Su inmutabilidad me reconforta.

Doblamos la esquina de la pista de tenis y ahí está. A plena vista. La cabina telefónica. Pero no es el teléfono en sí lo que nos quedamos mirando boquiabiertas; es la persona que lo está usando.

Es Chad.

–Ay, Dios mío –dice Drea–. Está llamando a casa, ¿verdad? Decidme que está llamando a su casa.

–Eso –afirmo–. A casa.

–Eso –repite Amber–. Aunque tenga un teléfono que funciona perfectamente en la habitación de la residencia con un plan de llamadas económico.

–En serio –insisto–, ¿qué posibilidades hay de que el que nos llamó continúe al teléfono? Podría ser cualquiera. –Miro alrededor observando el enjambre de cuerpos a cuadros verdes y azul marino que están haciendo ejercicio en la zona del patio interior.

–Sí, y a lo mejor si no nos hubiésemos parado a flirtear con Donovan –Drea mira mal a Amber– habríamos llegado mucho antes.

–Hey –replica Amber–, no te quejes. Solo estaba intentando hacerte un favor.

–Pues la próxima vez no te esfuerces tanto, ¿vale?

Seguimos hacia el teléfono, hacia Chad, haciéndole ampollas en la espalda con la mirada. No parece que esté hablando con nadie, sino escuchando o esperando a que alguien conteste.

–Chad –dice Drea cuando nos hemos acercado lo suficiente–. ¿Qué crees que estás haciendo?

Él se vuelve y deposita ruidosamente el auricular en la horquilla.

–Ah, hola, tías. ¿Qué pasa?

–¿Con quién estabas hablando? –pregunta Drea.

–Con nadie.

–Bueno, entonces supongo que no le acabas de colgar a nadie.

–¿Qué pasa, eres mi madre? –Cierra el cuaderno y lo pone encima del montón de libros que hay en la balda.

–Supongo que no me parece educado colgarle a nadie. Eso es todo.

–Bueno, no es que sea asunto tuyo, pero no estaba hablando con nadie. No estaba en casa.

–¿Quién? –pregunta Amber.

Chad la ignora y me mira, y siento que mis mejillas se convierten en bolas de fuego.

–¿Qué pasa, Stace?

–No mucho –digo, mirándolo a los ojos, que se posan en mis caderas, pasando sobre mis rodillas temblorosas hasta aterrizar en mis ruidosos zapatos negros. ¿Por qué me habré puesto calcetines en lugar de leotardos hoy? Me pregunto si se habrá dado cuenta de que el calcetín izquierdo está levantado al menos quince centímetros más que el derecho. Cruzo las piernas a la altura de los tobillos, esperando compensar así mis deficiencias estilísticas, y miro a Drea. Ella me lanza una rápida mirada diabólica y luego la aparta.

–Bueno –dice Amber–, a lo mejor deberíamos ponernos en marcha. –Bosteza en dirección a Chad–. Íbamos a estudiar a la biblioteca.

–¿A estudiar? –Chad enarca las cejas.

–Sí –responde Amber–. Ya sabes, eso que se hace con los libros.

–¿De verdad? –Se cruza de brazos ante nosotras–. ¿Por qué será que no os creo? ¿Qué es lo que tramáis realmente, chicas?

–*Mujeres,* gilipollas –mascula Amber–. No somos chicas. Ni tías. Somos mujeres.

–No creáis ni por un minuto que no sé lo que estáis haciendo aquí, *mujeres.*

–¿De qué estás hablando? –pregunto.

Una sonrisa ondula su mejilla perfectamente besable.

–Habéis venido a las Olimpiadas del Cerebro, ¿no? –Señala un folleto naranja chillón pegado a la pared que convoca a todos los atletas de la mente novatos a una reunión en el sótano de la biblioteca.

–Ah, sí, claro –dice Amber–. Mi cerebro ya hace bastante ejercicio en clase. Lo último que quiero hacer es utilizarlo *después.*

–Eso explica muchas cosas –comenta Drea.

Echo un vistazo al reloj de hierro situado en el centro del patio. Son las cuatro pasadas, apenas veinte minutos después de la llamada telefónica a nuestro dormitorio.

—¿Cuándo has llegado?

—Hace unos cinco minutos.

—¿Has visto a alguien usando el teléfono antes que tú?

—No, ¿por qué? ¿Qué pasa?

—Nada —digo—. Es que tenía que encontrarme aquí con alguien. Eso es todo.

—¿De verdad? —Chad me observa con los ojos entrecerrados—. ¿Es alguien a quien debería conocer?

—Sí —prorrumpe Drea, antes de que yo pueda responder—. Nuestra pequeña Stacey estaba *esperando a alguien.* ¿Te enteras?

—Así que date el piro —apostilla Amber, simulando fumar el lapicero de Hello Kitty.

Si arrancarle a alguien las uñas postizas con todo y pegamento y metérselas por la garganta no pareciera tan poco atractivo, probablemente se lo haría a Drea ahora mismo. Sabe exactamente lo que está haciendo, está quemando toda posibilidad que pueda existir entre Chad y yo.

—Tres son multitud —afirma Drea, enrollándose un mechón de pelo en el dedo—. Así que nosotras también tenemos que abrirnos, ¿no, Amber?

Amber asiente.

—Pillo la indirecta. —Chad recoge los libros y se marcha sin echar siquiera un último vistacito hacia donde estoy yo.

Drea me da un codazo en las costillas cuando él se ha ido.

—Ha funcionado a la perfección. Se ha tragado que estabas esperando a alguien.

—Genial —musito.

—¿Y ahora qué? —dice Amber—. No creeréis en serio que es Chad, ¿verdad?

—Sabe algo —susurra Drea.

–Eso no lo sabes. –Lo observo mientras se aleja hasta que su figura se mezcla con el mar de americanas azules a juego. Lo último que quiero creer es que tiene algo que ver con esto.

–¿Qué estás mirando? –pregunta Drea–. Si le sacas una foto te durará más.

–Me había parecido ver a PJ –respondo.

–Sí, claro –dice Drea–. No sé por qué te molestas; Chad puede ser un auténtico capullo. Me alegro mucho de haberme negado a darle los deberes.

–¿De haberte negado o de haberte olvidado? –pregunta Amber–. Esta mañana estabas un poco nerviosa.

Drea ignora la pregunta. Mira al teléfono y sonríe.

–Vamos a ver con quién estaba hablando Chad en realidad. ¿Se puede devolver la llamada en una cabina de teléfonos?

–Negativo –dice Amber–. Pero sí que *podríamos* llamar a la operadora y pedirle que vuelva a marcar el último número. Podemos decirle que se trata de una emergencia y que no nos acordamos del último número o algo así.

–No funcionará –admite Drea–. Pero intentémoslo.

Amber coge el auricular, marca el cero y espera unos segundos.

–¿Diga? ¿Por qué no responden? –Pulsa el cero con el dedo varias veces antes de colgar–. Ay, Dios mío, ¿y si esto fuera una emergencia o algo así?

El teléfono suena. Nos miramos unas a otras, sin saber qué hacer ni si debemos cogerlo. Dos llamadas. Tres. A Amber le tiembla la boca como si estuviera a punto de decir algo, pero en cambio coge el auricular.

–¿Diga? Sí. –Se tapa el oído libre para oír mejor–. ¿Qué? –Se aparta el auricular de la oreja, pero en lugar de colgarlo se lo pasa a Drea–. Es para ti.

Drea frunce el ceño, confusa. Coge el teléfono y Amber y yo nos arrimamos para escuchar.

–¿Diga? –dice Drea.

Se produce una larga pausa antes de que una voz llena de estática (su voz) nos hable.

–Perdona que no haya podido quedarme para charlar contigo, Drea. Pero te llamaré después, cuando estemos en privado y podamos hablar de cosas más íntimas, como tu sujetador.

–¿Mi sujetador?

–Rosa. Con un ribete de encaje alrededor de las copas. Talla 75C.

¡Ay! ¡Dios! ¡Mío! Cierro los ojos con fuerza, me tiembla la mandíbula y emito una larga y audible bocanada de aire por la boca. Es él quien tiene mi colada.

Drea balancea el teléfono entre dos dedos y empieza a hiperventilar. Le quito el auricular y la voz prosigue en mi oído:

–Dile a tus amigas que es de mala educación escuchar las llamadas ajenas. No quiero hablar con *ellas,* Drea. Quiero hablar contigo. Quiero *estar* contigo. Y eso sucederá en seguida.

El teléfono emite un chasquido al otro lado de la línea. Suelto el auricular, que se balancea a unos centímetros del suelo.

Amber le quita un cuaderno de la mano a un estudiante de primero y empieza a abanicarle la cara a Drea con él.

–Respira –dice Amber–. Intenta recuperar el aliento.

–No puedo seguir –balbucea Drea entre jadeos–. No puedo...
–Su voz se pierde en una serie de resoplidos desesperados.

–Lo sé. –Le cojo las manos y la ayudo a sentarse en el bordillo de cemento–. Me parece que a lo mejor deberías irte a casa una semana o algo así, hasta que esto acabe.

–Sí que deberías, Drea –conviene Amber.

Drea niega con la cabeza y aparta el cuaderno de Amber.

–Estaré bien –dice, recuperando el aliento.

–¿Estás segura? –pregunto–. ¿Quieres ir a tumbarte?

–Estoy bien.

El tono de llamada resuena desde el auricular como un horrible recordatorio de que él sigue con nosotras de algún modo.

–Nos está tocando las narices –dice Amber.

Drea se endereza un poco.

–¿Cómo sabía que íbamos a venir? ¿Cómo sabe lo de mi sujetador?

Huy. No quería contarle lo del sujetador ni lo del pañuelo porque no quería admitir lo de la colada manchada de pis. Solo quería dejar atrás aquel incidente y esperar que no volviera.

–¿Cómo sabía que estaríamos juntas? –Drea nos mira a Amber y a mí en busca de respuestas, como si nosotras las tuviéramos.

–Porque nos está tocando las narices –insiste Amber–. El que está detrás de esto nos conoce a todas bastante bien. Sabe que tengo los números de las cabinas anotados en la agenda y por eso no bloqueó la llamada.

–Y sabía que vendríamos corriendo para encontrarlo –termino.

–Apuesto a que puede vernos –dice Amber, echando un vistazo por el patio–. Probablemente nos está observando ahora mismo. Es probable que tenga un teléfono móvil.

–Entonces ¿por qué iba a usar la cabina telefónica? –pregunta Drea mientras el color vuelve a sus mejillas.

–Para despistarnos –responde Amber–. Eso es lo que haría yo.

–Siempre está un paso por delante –dice Drea.

Levanto el jersey de Drea, le saco la botella de protección de la cintura y se la pongo en las manos.

–Puede que ahora esté un paso por delante –digo–, pero no por mucho tiempo.

Quince

Acaban de dar las diez y Drea y yo hemos adoptado nuestros puestos en la cama. Yo intento resolver un puñado de ecuaciones para la clase de trigonometría y Drea está estudiando un ensayo de Chaucer. He intentado echar una cabezada justo después de cenar, pero me parece que sufro un ataque de insomnio. Espero que las ecuaciones me ayuden.

Hay un silencio sepulcral entre nosotras. Supongo que es un eufemismo decir que no nos hemos llevado lo que se dice bien últimamente. Pero también es un eufemismo decir que ambas hemos tenido nuestras razones para actuar como perras. Casi querría que Amber estuviese aquí para romper el muro de hielo que se alza entre nuestras camas, pero esta noche ha acabado estudiando con PJ. Lo que Drea afirma sobre ellos es cierto, realmente deberían volver a salir juntos. Pero Amber es de la escuela de "mis padres eran novios desde el instituto y siguen enrollándose como locos, así que me niego a estar en una relación que no sea tan perfecta como la suya". Supongo que todos tenemos nuestros cuelgues.

Personalmente, no sé en qué estoy pensando la mitad del tiempo, tonteando con Chad delante de Drea. Pero a veces no puedo contenerme, no puedo refrenar las hormonas desatadas que siento palpitando por mis huesos, haciendo que me hierva la sangre.

No es propio de una buena amiga hacer una cosa así, ya lo sé. Pero también sé que le achaco mi amargura a una grave falta de sueño, cuando me parece que es más probable que se trate de una grave falta de confianza en mí misma.

Miro a la acuarela que hizo Maura de nosotras sentadas en el columpio del porche, jugando a las cartas. Respiro profundamente y sofoco la autocompasión que siento y que me humedece los ojos. A lo mejor lo que necesito es una buena dosis de mamá. Cojo el teléfono y la llamo, pero por desgracia no está en casa o no responde, así que le dejo un mensaje para que me devuelva la llamada.

—Drea —digo al tiempo que cierro el libro de trigonometría—, ¿quieres que hablemos?

—La verdad es que sí. —Viene y se sienta en la cama frente a mí—. Mira, ya sé que he sido una perra de narices últimamente. Antes, con Chad, con lo de la botella de protección, con la camiseta de hockey... Es que estoy flipando en colores, Stacey, y no sé qué hacer.

—Me parece que la perra he sido yo —protesto.

—Oh, por favor —replica—, un poco de respeto para la reina P.

Drea y yo acabamos trasnochando para hacer algo que no hacíamos desde hace mucho tiempo, comportarnos con normalidad. Nos pintamos las uñas de los pies de color rosa sandía y nos ponemos la una a la otra cremas faciales de plátano y acondicionador de yogur en el pelo. Rematamos nuestro tratamiento de belleza con comida; nuestra propia versión de las delicias de Rice Krispies con lo que queda en la habitación: copos de maíz y mantequilla de cacahuete.

La noche es deliciosamente corriente y nos aleja por un instante de la espantosa realidad que se cierne sobre nosotras como una nube negra a punto de romper. Pero después de haber pasado la comida y habernos comido la última delicia de Rice Krispies comienza el aguacero y me siento obligada a preguntarle a Drea por el tipo que la llama y la relación que mantiene con él.

—Pensaba que era una coincidencia afortunada que se hubiera equivocado de número. —Drea está acostada al pie de mi cama descansando la mejilla en la almohada de cachemira y mirando fijamente a la pared.

—¿Cuántas veces has hablado con él?

—No muchas. No lo sé, puede que cinco o seis veces.

—¿Qué sabes de él?

—No mucho. Como te he dicho, no quería que nos dijéramos nuestros nombres. Sobre todo hablábamos de situaciones... ya sabes, de lo que nos parecían ciertas cosas.

—¿Como cuáles?

—Como cosas de citas. —Se ríe con una risita nerviosa y se da la vuelta para ponerse boca arriba.

—¿Qué clase de cosas de citas?

—Ya sabes, la clase de cosas que se hacen en las citas.

—¿Te refieres a cosas de s-e-x-o?

—Bueno, sí. Es decir, no siempre, pero a veces sí. —Levanta una pierna para mirarse las uñas de rosa sandía, con un tono de creciente enojo—. No era lo que tú crees, Stacey. Al principio era realmente simpático. No me molestaba. Tiene que molestarle a la otra persona para que se considere acoso o algo así.

¿Está loca? Quiero preguntárselo, quiero darle bofetadas hasta dejarla tonta. ¿En qué está pensando? ¿Cómo puede seguir hablando con un pervertido así, un tío al que ni siquiera conoce?

Pero en lugar en señalar todas las banderas rojas de su tortuosa relación la escucho, hago todo lo que puedo por no juzgarla, mordiéndome la lengua ante todas las graves divergencias del sentido común, cuestiones tales como caricias frente a frotamientos o lo que ambos llevaban puesto en el momento de la conversación. Y mi favorita: cuando él empieza a referirse a ambos como pareja y se pone celoso cuando Drea no está para responder a sus llamadas y Drea le sigue la corriente.

Drea comparte conmigo toda esta información en no más de cinco segundos, con los ojos clavados en el techo, como si la avergonzase. Y yo procuro respetarla, procuro no manifestar siquiera un ápice de horror en mi rostro, asintiendo en todos los momentos adecuados. Pero ahora me mira con los labios contraídos como si quisiera vomitar y yo siento el impulso de preguntarle:

–¿Qué te pasa?

–Le dije, ya sabes, *hasta dónde* he llegado.

–¿Cómo que hasta dónde?

–¡¿*Stacey*?! –Pone los ojos en blanco–. Quiero decir hasta dónde... cuántas bases.

–Ah.

–Le conté que Chad y yo pasamos la segunda volando, que llegamos hasta la tercera y fuimos a por el *home run*, pero entonces nos eliminaron.

Drea debe de percibir mi confusión porque pone los ojos en blanco por segunda vez esta noche y farfulla:

–¡Nos *eliminaron*, Stacey! Estábamos listos para hacerlo, teníamos todo lo que necesitábamos, pero supongo que entonces me asusté y decidimos no hacerlo.

Hace que parezca una acampada. Sin embargo, no estoy segura de que quiera escuchar nada de esto, aunque lo escucho de todas formas. Hablamos sobre sus conversaciones durante una hora entera. Y al final, por extraño que parezca, Drea parece más relajada, menos nerviosa, creo, porque no he dicho mucho más que *"ajá"* y *"ejem"* en todo este tiempo. Pero ahora mi relativo silencio la molesta, porque se ha incorporado sobre los codos, a la espera de mi respuesta.

–¿Y bien? –pregunta.

–¿Y bien qué? –repito, intentando borrar las imágenes que ahora se han implantado en mi cerebro de mi mejor amiga y el objeto de mi amor *casi* llegando a hacer un *home run*–. ¿Qué quieres que te diga?

–¿Crees que hice mal?

–No creo que sea una cuestión de bien o mal, Drea. –Mentira cochina–. Creo que probablemente hiciste algo que te sentías cómoda haciendo en aquel momento.

–Bueno, sí que estuvo un poco mal –admite Drea–. Ahora que lo pienso, debía de estar completamente pirada.

Un eufemismo.

–Que yo sepa, podría ser un ex asesino pedófilo psicópata chiflado –continúa.

–Ejem.

–Por eso no se lo quiero contar a mis padres, ni a nadie. Es que me siento muy tonta. Realmente creía que... ya sabes, que me quería. Era bastante agradable.

La abrazo y entrelazo los dedos en su pelo, llevándome un minúsculo residuo de yogur con el dedo.

–No eres tonta.

–Solo fue porque, no sé, era majo, y la primera vez que llamó tú no estabas y yo acababa de hablar por teléfono con mi madre y me había contado todo eso de que a lo mejor pasaríamos el próximo verano solas ella y yo en casa del abuelo, y no sé, es que simplemente fue... fácil.

–Sé lo que es dejarse llevar por lo fácil –confieso–. A veces sienta bastante bien.

–Además, la primera vez que llamó pensé que era Chad, pero ahora no lo sé. Pensaba que podía distinguir su voz después de tanto tiempo.

–A lo mejor es más de una persona, como tú dijiste. O utiliza uno de esos chismes que distorsionan la voz.

–¿*Tú* crees que es Chad? –pregunta Drea.

–No lo sé. No quiero pensar que es él, pero tiene un poco de sentido, sobre todo porque tiene la camiseta. Desde luego, creo que se trata de alguien del campus. Alguien de nuestra edad que conoce a todo el mundo, que sabe cómo funciona este sitio.

–¿Quién?

–No lo sé –respondo–. Pero vamos a descubrirlo.

Después de que le haga una trenza de raíz, Drea vuelve a la cama y se acurruca para dormir. Entonces suena el teléfono.

Lo cojo.

–¿Diga?

–Hola, Stacey. He recibido tu mensaje. Espero no llamarte demasiado tarde. –Es mi madre. Vuelvo a hundirme en la comodidad de las mantas solo con escuchar su voz, un pedacito de hogar.

–No, mamá –digo–. Es una hora perfecta.

Dieciséis

Después de mi efímero lapso de normalidad con Drea y de una conversación telefónica sorprendentemente agradable con mi madre, me abrocho la cadena plateada de los sueños alrededor del cuello, me duermo con bastante facilidad y no me despierto hasta la mañana siguiente.

Pero no tengo pesadillas, no recuerdo nada de mis sueños y empiezo a sentirme completa y rematadamente fracasada.

Mientras Drea y Amber parten hacia clase, yo llamo a la secretaria del colegio fingiendo retortijones y me regodeo en la tristeza de mi cama. Intento volver a dormirme. Enciendo incienso, cuento estrellas y empiezo un diario de sueños, pero nada funciona. Estoy tan despabilada que tengo ganas de vomitar. Así es como me paso el día entero. Stacey Brown, la desvelada. Stacey Brown, la que se pira las clases y ni siquiera puede disfrutar los principios básicos de hacer novillos para quedarse en la cama.

Drea y Amber vienen directamente al dormitorio después de clase y les confieso mis fracasos.

–Qué putada –masculla Amber.

Empiezo a sentirme todavía menos confiada que antes, y eso es lo me embarga las dos horas siguientes. Intento convencer a Drea para que acuda a la policía del campus y les cuente todo lo que está ocurriendo.

Por fin, después de que Amber y yo sudamos la gota gorda, Drea accede y Amber y ella van a hablar con ellos. Yo, que estoy a punto de arrancarme todos los pelos, uno tras otro, me ofrezco a acompañarlas, pero Drea quiere que me quede en la cama y procure echar una cabezadita.

Qué alegría.

Apenas son las seis de la tarde y ya parece que hayan dado las nueve fuera. Decido darme un baño de hierbas con una esponja en el lavabo de la habitación, esperando que la combinación de agua y flores me ayude.

La abuela juraba que siempre se bañaba antes de realizar un conjuro y de acostarse. Se bañaba en lugar de ducharse. Según ella, no es lo mismo. Aseguraba que el cuerpo necesita purificarse para prepararse para lo que es sagrado, que los sentidos no funcionan plenamente cuando la energía no se ha limpiado. Por supuesto, es complicado darse un baño cuando en tu colegio solo hay platos de ducha. Sobre todo si se trata de esos pies de ducha que solo tienen capacidad para cinco centímetros de agua cuando se bloquea el desagüe antes de que el agua empiece a desbordarse al suelo.

Pongo el tapón del desagüe y lleno de agua tibia tres cuartas partes del lavabo. Es uno de esos anticuados lavabos de porcelana blanca con grifería de plata y está adherido a la pared de mi lado de la habitación. Le añado al agua pétalos de clavel de una flor que he tomado prestada del jarrón del vestíbulo de la residencia. Después le agrego gotitas de aceite de romero, menta y pachuli, así como un puñado de hojas de menta; todas son hierbas y flores reconfortantes y esclarecedoras que, con un poco de suerte, me ayudarán a dormir plácidamente durante mucho tiempo y, lo que es más importante, harán que mis sueños sean más clarividentes.

Desenrosco el tapón del frasco de polvos de talco y espolvoreo una cucharada en una taza de cerámica. Le añado cuatro cucharadas de miel y lo remuevo. Los polvos de talco me ayudarán a esclarecer las imágenes de los sueños que puedan confundirme, mientras que la miel hará que los sueños perduren para que pueda recordarlos. Vuelco la mezcla en el lavabo con el dedo y remuevo el caldo acuoso con la mano, alentando a todos los ingredientes a mezclarse e intensificarse.

Extiendo una toalla en el suelo por si algo se derrama, me pongo mi harapienta bata de felpa roja (una de las favoritas entre mi creciente colección de ropa cómoda) y humedezco una esponja marina en el agua. Dejando la bata abierta, empiezo por las piernas, frotándolas de arriba abajo, inhalando los vapores florales mientras me agacho hasta los pies.

–Aceites y agua, flor y hierba, concededme visión, concededme discernimiento en mi paseo de esta noche. –Repito el cántico en voz alta tres veces, imaginando el mar de aceites que se mezcla y purifica mi piel, y el aire que respiro. Humedezco de nuevo la esponja y asciendo hasta el vientre y después un poco más, hasta el cuello y los hombros. Cierro los ojos y me concentro en el CD con sonidos de la naturaleza que he metido en el reproductor de Drea, un hilillo de agua sazonado, en su justa medida, con trinos de pájaros. Es el último ingrediente de una receta que me ayudará a serenar mi espíritu para que pueda experimentar sueños clarividentes, que no estén bloqueados por mis propios temores.

Ya sé por qué mis sueños no han sido tan reveladores estos últimos días. La abuela solía decir que para tener sueños clarividentes hay que tener el valor suficiente para aceptar las consecuencias. Cuando me lo dijo yo estaba sentada frente a ella bebiendo té, jugando al gin rummy y comiendo galletas de mantequilla, y no alcancé a comprender lo que quería decir, pero ahora tiene mucho sentido.

Sé que no he tenido valor para soñar. Sé que probablemente mi lado subconsciente acusa el hecho de que estoy muerta de miedo. Una parte de mí murió en mi interior cuando le fallé a

Maura. No puedo fracasar de nuevo porque, si lo hago, lo que queda de mí misma también morirá. Y entonces no quedará nada.

Me paso la esponja por la cara, concentrándome en la idea de la fuerza, imaginando que el agua se lleva todo vestigio de temor. El ejercicio me otorga poder, restaura la energía que he perdido. Contemplo el anillo de amatista y beso la piedra al tiempo que imagino la mejilla de la abuela, convencida de que de algún modo está aquí conmigo.

Me envuelvo en la bata y me dirijo a la mesita de noche. Saco del cajón una pintura de cera amarilla y una libreta. He de idear una pregunta que pueda formularle a mi sueño. Algo astuto. Algo que pueda revelar la verdad en más de un sentido. Pero la única pregunta que acabo garabateando es la que se me antoja más evidente: ¿QUIÉN ESTÁ DETRÁS DE DREA?

Doblo el papel, lo introduzco en la bolsa de sueños y esta, a su vez, en la funda de la almohada. Después me meto a rastras en la cama, cierro los ojos y me imagino bolsitas de té calientes posadas sobre mis párpados. Con cada bocanada visualizo la luna menguante, que se estrecha y se torna más difusa hasta no ser más que un punto de luz.

Cuando estoy a punto de adentrarme en el sueño, oigo un golpe en la ventana del rincón.

—Stacey —murmura una voz a través del cristal.

Chad.

—Vamos, Stace —insiste—. Déjame entrar.

Me levanto de la cama, me ciño el cinturón de la bata y me dirijo a la ventana. Entonces recuerdo y mi enojo se disuelve ante su asombroso don para dejarse caer en los momentos más intempestivos. Tiene una pinta increíble. Mientras espera a que lo deje pasar, con la mirada perdida en la noche, estudio cómo la chaqueta de cuero negra le ciñe los hombros, cómo su pelo está perfectamente despeinado. Que se ha puesto gafas de montura de alambre en lugar de las lentillas habituales.

Por el contrario, yo siento un grumo reseco de polvos de talco en el pelo y una pizca de miel en el cuello. Pero todavía me dura el subidón del tratamiento de belleza de anoche, y después del baño con esponja, me siento sorprendentemente sexy.

Cuando oye que se levanta el pasador, me mira y veo que se extiende una sonrisa en su mejilla. Es una sonrisa de complicidad, confiada. Una sonrisa que me indica que sabe en qué estoy pensando y que él siente lo mismo.

Subo la ventana y cojo un taburete para sentarme y que podamos hablar cara a cara.

–Hola. –Levanta la ventana un poco más y apoya los codos en el alféizar. Está masticando un chicle, un fino pedacito de color de menta que da vueltas hacia delante y hacia atrás sobre su lengua.

–Hola. –Trago saliva con dificultad y advierto que sus ojos reparan en el movimiento de mi garganta.

–¿Te molesto?

–No –contesto–. Me acabo de dar un baño con esponja.

–¿De verdad? –dice–. A lo mejor debería haber venido antes.

Balbuceo una risita nerviosa, produciendo un extraño sonido borboteante. Pero el semblante de Chad continúa serio, como si lo dijera de verdad.

–¿Entonces estás sola?

Aprieto las piernas y siento el impulso de hacer pis.

–Un ratito.

–Bien. Quería hablar contigo. –Se inclina para acercarse y huelo la menta del chicle.

–¿De qué?

–De nosotros. –Sus ojos se demoran en mi cuello, percatándose de que se me ha abierto el escote de la bata.

Cambio de postura para apoyarme en el talón, haciendo un esfuerzo por contener el impulso irrefrenable de hacer pis.

–¿Qué pasa con nosotros? –Rechino los dientes para reprimir el dolor.

Se saca un pliego de papel del bolsillo trasero. Tiene mi nombre escrito con letras de molde rojas en el anverso, las mismas letras que las demás notas.

–Esta es para ti.

–¿Eres tú el que las ha enviado?

–¿Eso te importaría?

–¿Qué quieres decir? ¿Eres..?

–Quiero decir que si te seguiría gustando si fuese yo. –Chad acerca tanto la cara que siento el calor de su boca humedeciendo la mía. Esto está muy mal. No puede gustarme.

–Sí que puedo –replica, como si me hubiera leído el pensamiento.

Mis labios se contraen anticipando el sabor mentolado de su beso. Procuro distraerme mirando hacia cualquier otra parte (su frente, su nariz, el lóbulo de su oreja derecha) pero mis ojos no pueden evitar posarse de nuevo en esos labios finos de color rosa pálido esculpidos, para amoldarse a mi boca. Cierro los ojos en un parpadeo prolongado esperando que me toque con esos labios.

–Primero abre la nota –susurra.

Me escuece el vientre a causa de la presión.

–Chad –digo–, tengo que ir al ba...

–Ábrela –me interrumpe–. Es lo que estabas esperando.

Respiro profundamente y desdoblo la nota. El mensaje está impreso en el centro: EL AMOR ES SORPRENDENTE

–¿El amor es sorprendente? –pregunto.

–Supongo que cuando lo piensas –explica–, para algunos *todo* tiene gracia. –Me acaricia la cara con una mano, transmitiéndome cosquilleos electrizantes hasta las uñas de color rosa sandía–. Espera –añade, como si acabase de recordar algo–, tengo otra cosa. –Se saca tres lirios de detrás de la espalda y me los entrega–. Encárgate de dárselos a Drea.

–No lo entiendo –protesto.

–Ya lo entenderás. –Se inclina hacia delante y pone su boca sobre la mía. Su beso me explota en los labios y en la punta de la lengua.

Percibo el tintineo de unas llaves contra la puerta, detrás de nosotros. También oigo voces susurrantes que se funden. Viene alguien, pero yo no consigo apartarme.

Ni quiero.

La puerta se abre con un chirrido y Chad continúa besándome. Un par de zapatos atraviesan ruidosamente el suelo de madera para detenerse justo detrás de mí.

–¿Stacey? –dice la voz de Drea.

Pero no puedo apartarme. No lo haré.

–¡Stacey! –repite–. Despierta. *¡Despierta!*

Siento que me zarandean, y cuando al fin despierto Drea y Amber están inclinadas sobre mi cama.

–¿Has tenido otra pesadilla? –pregunta Drea.

–Eh... –La cabeza me da vueltas; parecía tan real–. No lo sé. Dadme un minuto.

–Estabas respirando de forma rara –dice–. Prácticamente hiperventilando.

Cambio de postura en la cama y siento una ligera humedad en los pantalones. Maravilloso.

–Tengo que ir al baño. –Pongo la colcha encima de la sábana y hago todo lo que puedo por caminar hacia atrás con la mayor indiferencia posible hasta que salgo y enfilo el pasillo.

Por suerte para mí, la sala de duchas está desierta. Le doy un tirón a la parte trasera de la bata para comprobar si se ha producido algún escape. Solo está un poquito mojada y lo cierto es que no se nota tanto a través del oscuro tejido de felpa. Me echo un poco de jabón en la palma de la mano, me quito la bata y me meto de un salto en la ducha, haciendo lo posible por no mojarme demasiado el pelo para que Drea y Amber no se den cuenta.

Mientras froto intento concentrarme en el sueño y en lo que significa, pero no puedo dejar de pensar en el beso. ¡Menudo beso! Me pongo los dedos en los labios y siento un cosquilleo, como si todavía estuviera allí.

–El amor es sorprendente –le susurro al agua. Quiero descifrar el significado del amor, de cada palabra que ha dicho Chad, del chicle con sabor a menta. Lo que sea para mantener a mi mente apartada de la pregunta más importante de todas: por qué mis sueños han llevado a Chad a la ventana.

Salgo de la ducha, vuelvo a ponerme la bata y regreso a la habitación con Drea y Amber.

–Salsa de nachos caducada –explico, dándome palmaditas en el estómago. Pero ni siquiera me escuchan. Amber está inspeccionando la colección de CD de Drea mientras esta habla por teléfono con su madre. Me siento en el borde de la cama, me quito la bata y saco una camiseta limpia y unos pantalones cortos del montón de ropa reciclable que hay en el suelo.

–La música de Drea está desfasada –observa Amber–. ¿Y qué es esta mierda de sonidos de la naturaleza? –Su voz viene acompañada de un golpe contra la ventana.

Es PJ. Lo sé porque siempre llama de la misma forma, con una serie de golpes que afirma que acompañan a la melodía de *Mi bella genio*.

–Ups. Supongo que nos hemos olvidado de él –dice Amber–. ¿Quieres dejarlo pasar, Stace?

Subo la persiana y miro hacia abajo. La esfera de pelo amarillo fosforescente de PJ me devuelve la mirada bajo la luz de la luna.

–Has vuelto a teñirte el pelo –comento al tiempo que lo dejo pasar.

–Los rubios se divierten más –afirma.

–A mí me parece más bien amarillo moco –tercia Amber.

–Ni me hables. Podría haberme quedado helado ahí fuera. Probablemente, algunas partes de mi anatomía ya se han convertido en eso.

–Gracias por la imagen –masculla Amber.

PJ se dirige a la ventana anteriormente rota y se pone a inspeccionar los bordes.

–Ya veo que os han arreglado la ventana. –Sube y baja el pasador–. Debéis de tener un contacto en mantenimiento. Tardaron dos semanas en venir a arreglar nuestro váter.

–Eso es porque estáis llenos de mierda –interviene Amber.

–Hablando de eso –dice PJ–. ¿Qué estás cocinando aquí, Stace? *¿Eau de excrément?*

–Muy gracioso –replico, y en cuanto lo digo pienso en la nota de mi sueño y en lo que decía, en que Chad afirmaba que algunas personas creen que todo tiene gracia.

Drea cuelga el teléfono y se apresura hacia el borde de la cama.

–En fin –empieza–, acudir a la policía del campus ha sido una completa pérdida de tiempo.

–¿Cómo es eso? –Meto la bata bajo la cama de una patada y extiendo una manta extra sobre la mancha de pis.

–Probablemente ya te lo imaginas. Redactaron un informe, nos dijeron que seguramente estábamos exagerando, pero que, por si acaso, pondrían a un vigilante extra a patrullar frente a nuestra habitación por la noche.

—Parece que vamos a echar de menos tus visitas a medianoche, PJ —digo.

—Eso no me detendrá —asegura este—. Alguien tiene que protegeros por la noche, chicas.

—Oh, sí. Ya me siento segura. —Amber se santigua.

—Los de seguridad dijeron que en realidad no pueden hacer nada hasta que ocurra algo importante —prosigue Drea.

—¿Como qué? —pregunto.

—Como que la palme alguien —responde Amber—. Entonces nos tomarán en serio.

Observo a PJ, cuya expresión no denota ni una pizca de confusión.

—PJ —digo—, ¿tienes la menor idea de lo que estamos diciendo?

—Supongo que le hemos puesto un poco al día de las cosas —explica Amber.

—¿Solo a PJ?

—Bueno, a Chad también —admite—. Pero eso es todo.

—Genial —digo—. Ahora lo sabrá todo el mundo. ¿Que ha pasado con nuestro pacto?

—Estoy pensando en irme a casa —interviene Drea—. Solo un semestre. Acabo de contárselo a mi madre. Le he dicho que no me va bien este trimestre y que no quiero estropear mi nota media. Siempre puedo recuperarlo en la escuela de verano.

—¿A ella le parece bien? —pregunto.

Drea se encoge de hombros.

—Supongo que está discutiendo mucho con mi padre.

—Tendrían que salir una temporada con los cachondos de mis padres —sugiere Amber.

–¿Ah sí? –dice PJ, volviéndose hacia ella–. A lo mejor tú y yo deberíamos seguir el ejemplo de tus viejos.

–Ni lo sueñes –responde Amber.

–El año pasado no decías eso.

–El año pasado era distinto. –Se planta ante el espejo y se dibuja corazones azules en las mejillas con un lápiz de labios–. Era muy inmadura.

–En fin, PJ, ¿a qué debemos este no-placer? –pregunto.

De un salto, se pone a mi lado en la cama.

–*Nada*[8], *mademoiselle.*

–No me extraña que suspenda francés –comenta Drea.

PJ le tira un beso y sigue hablándome al oído. Su aliento de guacamole me da ganas de vomitar.

–Es que estaba acompañando a estas encantadoras señoritas a la residencia y quería venir a darle las buenas noches a mi buena amiga Stacey. *C'est tout.*

–¿Y? –pregunto.

–Díselo –lo apremia Drea–. Tiene que saberlo.

–Todo a su tiempo, cariño. –Cruza las piernas a la altura de la rodilla y mece un pie hacia delante y hacia atrás–. Y bien, Stace, ¿qué es todo eso que me han contado de un acosador loco al que vas a detener? Quiero detalles jugosos.

–PJ, de verdad que no me apetece...

–*Très interéssant, mademoiselle.* –PJ se da golpecitos con un dedo en los labios con aire pensativo–. Qué BCV por tu parte.

–¿BCV?

–¿Ho-laaa? –Chasquea los dedos de un lado a otro por encima de la cabeza al estilo de las pandilleras–. ¿Buffy cazampiros?

***

(8) N. del T.: en español en el original.

–Claro –admito–. PJ, estoy cansada. Quiero irme a dormir. Dime lo que ibas a decirme o...

–¿O qué? ¿Me convertirás en rana? –Menea los dedos frente a mi cara en plan abracadabra. Es *tan* detestable.

–¿Por qué no? –tercia Amber–. Besas como si lo fueras.

–Bueno, si me concedieras, digamos, dos noches de deberes de francés, a lo mejor me convencerías.

–Díselo –insiste Amber–. O te despeino.

–Ni hablar, colega. ¿Sabes cuánto tardo en tener esta pinta? –PJ se atusa los pinchos amarillos con los dedos–. Vale, de acuerdo. Te lo diré. Hoy, después de francés, he oído a Verónica Leeman, también conocida como Ronnie la presumida, diciendo que estaba recibiendo unas extrañas llamadas de teléfono.

–¿Qué clase de llamadas?

–El típico acosador: cuelga, respira entrecortadamente, un pervertido que dice que la desea.

–¿Ha acudido a los de seguridad del campus? –pregunto.

–No lo sé –admite PJ–. A lo mejor. Estaba bastante pillada.

–Está pillada de todas formas –interviene Drea.

–Lo que pasa es que te cae mal porque le pone Chad –observa Amber.

–Espera –interrumpo–, ¿qué la oíste decir exactamente?

–Eso te costará dos noches de deberes de francés.

–Se me da muy mal el francés. Ya lo sabes.

–Tengo que llenar las páginas con algo.

–De acuerdo. –Señalo mi cuaderno de francés, que está en el rincón.

–Vale. ¿Cuáles eran los deberes de ayer? –PJ hojea las páginas.

–De la página cincuenta y tres a la cincuenta y cinco, ejercicios A, B, C, F y H.

Comprueba esos ejercicios antes de volver a arrojar el libro al rincón.

–Bueno –dice Amber.

–Bueno –repite él–, pues estaba yo en el pasillo y, ya sabes, Ronnie la presumida se estaba peinando ese nido que tiene en la cabeza... –PJ recorre la habitación con la mirada mientras habla, examinando los chismes del escritorio de Drea. Se detiene en mitad de la frase ante sus pendientes en forma de lágrima–. *Très chic,* Dray. Me los tienes que dejar.

–¿Es que tengo que quitarte el cuaderno? –le pregunto.

–*Très rude, mademoiselle.* ¿Así es como tratas a todos tus invitados? –Destapa el frasco de desodorante de Drea y lo huele–. Pues eso, voy andando, fingiendo ir a mi bola, cuando oigo que Ronnie la presumida le cuenta a unas cuantas de las presumidas de sus amigas que está recibiendo llamadas anónimas.

–¿Qué le dice? –pregunta Drea.

PJ se pasa la barra de desodorante por el frente y los lados del cuello.

–Algo de que va a ir a por ella y le va a arrancar toda la ropa.

Drea se muerde una de sus uñas postizas, provocando lo que normalmente merecería una reparación de emergencia, pero está tan absorta en el momento que ni siquiera se percata de ello.

–¿De verdad? –pregunta.

–No. ¿Quién querría verla en pelotas? Que alguien diga "alerta de Grinch".

–El Grinch es un tío, tonto –dice Amber.

–Precisamente –replica él.

–Vamos, PJ, habla en serio –lo insta Amber.

–Si me das un beso.

–Bésame esto. –Amber contonea el trasero en su dirección.

–No me tientes, gatita –responde él–. Pues eso, las llamadas anónimas, que le quiere meter mano, bla bla bla, y...

–¿Qué? –pregunta Drea.

–Lo más jugoso: parece que puede verla cuando la llama.

–¿Cómo sabe ella que la está observando? –Drea se aprieta el cuello de la blusa.

–Porque –la voz de PJ adopta un tono siniestro– sabe lo que lleva puesto y con quién está. Hasta sabe cuándo mete la mano en el bolso y saca... –PJ hace una pausa dramática.

–¿*Qué?* –pregunta Drea– ¿*Qué* saca?

–Saca un rastrillo metálico para peinarse. –Se aferra el estómago y rompe a reír como el completo idiota que es en realidad.

Ninguna de nosotras lo secunda.

–Me parece que será mejor que te vayas, gracioso –dice Amber.

–Vamos –protesta–. ¿Dónde está vuestro sentido del humor?

Me levanto para sentarme junto a Drea, dejando que apoye la cabeza en mi hombro. Se cubre la garganta con las manos y procura acompasar su respiración.

–Drea –dice PJ–. Era una broma. Perdona.

–Me parece que será mejor que te vayas –insisto.

Amber le tira del brazo, tratando de conducirlo a la ventana.

–De acuerdo. Me voy –dice, desasiéndose de ella–. No hace falta que me lo digáis dos veces.

–Sí que hace falta –replica Amber.

–Lo siento, cariño –le dice a Drea–. Supongo que a veces me dejo llevar. Olvida lo que te he dicho del rastrillo, pero todo lo demás es verídico. ¿Amigos? –Alarga la mano para estrecharle la suya, pero Drea la ignora–. De acuerdo, déjame colgado. –Se atusa los pinchos del pelo con la mano–. No hace falta que me acompañéis.

Amber cierra la ventana a su paso y baja el pasador.

–Puede llegar a ser un niñato.

–No es culpa suya –reconoce Drea–. Solo está siendo él mismo. La culpa es del que está haciendo esto.

–Tenemos que hablar con Verónica Leeman –dice Amber, arrugando la nariz.

–No querrá hablar con nosotras. –Drea aferra la botella de protección y la sostiene cerca del cuerpo.

–Pues tendrá que hacerlo –digo–. Pero primero, estaba pensando en probar algo nuevo.

–¿Las drogas o las chicas? –pregunta Amber.

–Muy graciosa. –Me desabrocho el collar de sueños plateado que llevo alrededor del cuello y balanceo el cristal que le he añadido ante sus ojos.

–No me pueden hipnotizar –dice Amber–. Ya lo he intentado yo misma. No funciona.

–No estoy intentando hipnotizarte. Solo quiero que lo mires. Este cristal me lo dio mi abuela. Me dijo que con él siempre sabría que me estaba observando.

–No te ofendas, Stace, pero no es más que un cristal. Los puedes comprar en cualquier parte. Yo tengo uno verde en mi habitación. Me lo pongo con los pendientes de saltamontes.

–No –insisto, frotando los surcos con el dedo pulgar–, este es distinto. Es un cristal devic. ¿Ves las grietas y las fisuras? En cada muesca hay clarividencia y espiritualidad.

–¿Qué significa devic? –pregunta Drea.

–Significa comunicación con los espíritus de la naturaleza. Significa abrir nuestro corazón a la magia de la naturaleza y la Madre Tierra.

–¿Los espíritus? –repite Drea.

–Estaba pensando en hacer una sesión de espiritismo.

–¿Lo dices en serio?

–Completamente. Creo que mi abuela nos puede ayudar con esto. Pero también necesito vuestra ayuda. De las dos.

–Cuenta conmigo –dice Amber.

–No sé. –Drea se arranca lo que le queda de la punta de la uña–. ¿Es peligroso? ¿Puede empeorar las cosas, matar a alguien o algo así?

–No si lo hacemos bien –afirmo–. Piensa en ello, ¿vale? Pero primero, vamos a encontrar a Verónica Leeman.

DIECISIETE

Decidimos seguirle la pista a Verónica Leeman en la cafetería del campus, puesto que suele pasar allí el rato. Durante el trayecto acabo por contarles a Drea y a Amber la versión de mi pesadilla apta para todos los públicos.

Les explico que Chad se presentó ante la ventana para darme una nota que decía que el amor es sorprendente y tres lirios para que se los entregase a Drea. Tres lirios en lugar de cuatro, probablemente para señalar que ha pasado un día, que ya falta un día menos para el inminente peligro que nos aguarda. Amber me hace toda clase de preguntas (si Chad mencionó el nombre de PJ, si se reía al darme los lirios o tenía un aire sombrío) pero lo único que Drea acierta a preguntarme es por qué estaba soñando con Chad.

Respiro profundamente, cuento hasta cinco en silencio y le respondo que la aparición de Chad en mi sueño probablemente sea insignificante. Que quizá he soñado con él porque ayer vino a la ventana con la nota de la camiseta de hockey.

O quizá sea porque realmente tiene algo que ver con todo esto.

Empujamos la puerta de la cafetería del campus y ahí está Verónica, sentada ante una mesa en forma de anillo con Donna Tillings, la cotilla de la clase. No solemos frecuentar este sitio porque lo cierto es que no encajamos entre los alumnos populares que se mezclan con los artistas atormentados. La cafetería era antaño un teatro, antes de que empezaran a representar obras en el auditorio, de modo que conserva los motivos teatrales: asientos de escenario y de público, menús con aspecto de guiones y sillas de director. Los profesores y administradores llaman a la cafetería por su nombre, En Escena, pero todos los demás la llamamos El Ahorcado, porque según cuenta la leyenda una chica se ahorcó en este lugar cuando no le concedieron el papel protagonista de *Carrusel*.

–Me encanta el olor del café –declara Amber–. Voy a pedirme uno. –Cuando se inclina sobre el mostrador repara en Donovan, que está sentado en el rincón, sorbiendo su espresso mientras hace un boceto del puesto de leche y azúcar–. Hola, Donovan –canturrea mirando a Drea de reojo–. ¿Me invitas a un café? –Donovan la saluda pero en seguida reanuda su trabajo.

–Supongo que eso es un no –comenta Drea–. Además, ¿no sabes que el café te pone los dientes marrones? –Drea contempla las bandejas de dulces que hay detrás del mostrador acristalado: bollos de canela, galletas con trocitos de chocolate y nueces de Macadamia, hombres de jengibre con confitura rosa y sogas rosadas alrededor del cuello.

–¿Habéis olvidado para qué hemos venido, chicas? –pregunto.

–No –contesta Drea–. Acabemos con esto. Verónica Leeman no es lo que se dice la persona con la que más me guste hablar.

–Mira –digo–, puede que vosotras tengáis algo importante en común. Por lo menos has de intentar llevarte bien con ella los próximos diez minutos.

–Sé exactamente lo que tenemos en común. Está detrás de mi novio desde que la conozco.

–Odio pincharte la burbuja, Dray, pero ya no es exactamente tuyo. –Amber observa a Donna Tillings mientras esta remueve un café moka con crema batida–. Delicioso. Ojalá le vaya directamente a los muslos y siembre años de celulitis. Stacey, dale a la magia.

–¿Estás de coña? –tercia Drea–. Donna ya tiene muslos de braga faja.

–Qué razón tienes –reconoce Amber, echando un segundo vistazo.

–¿Podéis dejarlo, chicas? –insisto–. Hemos venido a hablar con Verónica.

–Ronnie la presumida –me corrige Amber.

Miro a Verónica, que está sorbiendo café de un tazón de cereales como hacen en Francia, según nuestro libro de francés. Me mira en mitad del sorbo y le susurra algo a Donna al oído. Donna se ríe. Entrechoca su taza rebosante con el tazón de Verónica para celebrar el chiste.

–Me ponen enferma –dice Amber–. Pirémonos.

–No podemos –replico–. Todavía no.

Verónica le susurra otra cosa a Donna antes de apartarse de la mesa.

–Viene hacia aquí –musita Drea.

–Alerta de presumida. –Amber arruga la nariz.

–¿Tenéis algún problema, chicas? –pregunta Verónica–. Parecéis un poco fuera de lugar.

–Lo único que está fuera de lugar es tu pelo –responde Amber–. ¿Alguien tiene una cerilla?

–Ja ja. –Verónica se arregla con indolencia la masa fijada con laca en lo alto de su cabeza.

–No la escuches –interviene Drea, mirando a Amber con malos ojos–. A veces puede ser muy inmadura.

Verónica mira a Drea de arriba abajo, deteniéndose un instante para enarcar una ceja ante la longitud de su falda de cuadros, que Drea ha acortado enrollando la cintura.

–Es una pena que no hayamos tenido ocasión de hablar mucho este curso –dice Verónica–. A lo mejor nos encontraríamos si pasara más tiempo en la residencia de los chicos. Pero pensándolo bien, no quiero ganarme una reputación. Ya sabes lo que te puede pasar por eso.

Me interpongo entre ellas.

–En realidad, Verónica, te estábamos buscando.

–¿De verdad? –pregunta.

–Cuesta creerlo, ¿verdad? –Amber se echa el frasco de canela en la palma de la mano para lamer las motas.

Le doy un codazo para callarla.

–¿Sabes una cosa, Stacey? –comienza Verónica–. El otro día me diste un susto de muerte cuando te quedaste dormida en clase de francés. No todos los días se oye a alguien ponerse a gritar que ha matado a una chica. Y mucho menos en clase de francés.

–Dije que *no* la había matado.

–Si tú lo dices. ¿De qué iba todo eso? Todo el mundo lo está comentando.

–Primero responde a mi pregunta –digo.

–¿Por qué iba a hacerlo?

–Porque sé que copiaste en el examen de francés y puedo demostrarlo –respondo–. Copiar va en contra del código de honor. Te pueden expulsar.

Amber se detiene en el acto de lamerse la palma de la mano y Drea se queda boquiabierta. Me muerdo la piel de la lengua, esperando a que Verónica vea mi farol.

–De acuerdo –accede Verónica tras una pausa–. ¿Qué quieres saber?

Señalo una mesa desocupada junto a la pared y tomamos asiento. Drea y yo nos sentamos en un lado y Amber y Verónica en el otro.

–¿Y bien? –dice Verónica–. ¿De qué se trata?

–Hemos oído que últimamente has recibido llamadas anónimas –explico.

–¿Quién te lo ha dicho?

–Todo el mundo lo está comentando –la imita Amber.

Le doy una patada por debajo de la mesa.

–¿Sabes quién es? –pregunta Drea.

Verónica niega con la cabeza y aparta la mirada.

–Ya van tres noches seguidas.

–¿Qué clase de llamadas telefónicas? –prosigo.

Verónica se encoge de hombros.

–Intenta hablar conmigo. La primera vez que llamó se puso en plan "adivina quién soy".

–¿Solo te ha llamado por teléfono? –pregunto.

–Me llamó las dos primeras noches. –Verónica aspira una honda bocanada.

–¿Y después? –Drea apoya los codos en la mesa para inclinarse sobre ella–. Puedes confiar en nosotras.

–¿Por qué iba a creer eso?

–Porque a mí me está pasando lo mismo –confiesa Drea–. Me parece que podría tratarse de la misma persona.

Verónica la mira como si la viera por primera vez.

–¿Tienes miedo?

–Estoy muerta de miedo. Siento que me vigilan, que ni siquiera puedo ir a la cafetería o darme una ducha.

–Te entiendo –reconoce Verónica–. Aquí no me siento a salvo.

–La verdad es que estoy pensando en marcharme una temporada. –Drea le quita el frasco de chocolate a Amber, se espolvorea un puñado en la palma de la mano y emplea lo que le queda de la punta de una uña para llevárselo a la lengua.

Verónica se arrellana de nuevo en la silla, sintiéndose un tanto más relajada hablando con nosotras.

–¿Así que a ti solo te ha llamado por teléfono?

Drea me mira; creo que quiere que apruebe que se lo cuente todo a Verónica. Pero no puedo hacerlo. No quiero. Porque sencillamente no sé si lo apruebo.

–No –responde Drea–. Al principio sí, pero luego me mandó un regalo junto con una nota.

La cara de Verónica palidece; su aura adopta un color verde amargo.

–A mí me hizo lo mismo anoche. Estaba esperando en el pasillo, delante de mi habitación cuando llegué.

–¿Qué había dentro? –pregunta Drea.

Veo cómo comparten su angustia mientras Amber permanece ajena, elaborando una receta de especias en su mano. Dicen que la tragedia une a las personas, aunque sean los peores enemigos. Es la primera vez que veo a Verónica Leeman asustada.

–Flores –dice Verónica. Se mira las manos para comprobar si están temblando.

–¿Lirios? –pregunta Drea.

–Sí. ¿Cómo lo sabes?

–¿Cuántos? –Drea aferra la mano de Verónica.

–Tres –responde–. Tres lirios. Por el número de días que faltan para que venga a por mí.

DIECIOCHO

Después de nuestra charla con Verónica en El Ahorcado, vuelvo a la residencia a acostarme. Pero en realidad lo que acabo haciendo es dar vueltas en la cama, devanándome los sesos, tapándome con las mantas hasta las orejas inútilmente. Se me hace raro estar sola en el dormitorio durante más de quince minutos, sin Drea dando vueltas en la cama al mismo tiempo que yo.

Después de que Verónica y ella confesaran lo de las flores, las notas y el embrollo del acosador frente a capuchinos espumosos y bizcochos recién hechos, Drea anunció que necesitaba pasar una noche fuera del campus y llamó a su tía, que vive a dos pueblos de distancia, para que viniese a recogerla. Le sugerí que se quedase allí todo el fin de semana, hasta que pasara el día D, pero Drea se negó rotundamente. Ahora que Verónica y ella han establecido un vínculo, Drea está resuelta a ayudarla. Creo que hablar con ella ha hecho que todo esto le parezca muy real.

Entonces ¿por qué presiento que Verónica es una mentirosa?

Es que para mí no tiene sentido. No tiene sentido que la misma persona vaya detrás de Drea y de Verónica. No podrían ser más distintas. ¿Y acaso los acosadores no suelen ir a por el mismo tipo de persona? En todo caso, Drea se quedará en casa de su tía hasta mañana por la tarde y se supone que entonces nos reuniremos para trazar un plan.

Me doy la vuelta en la cama, pruebo a ponerme una almohada bajo las rodillas y hasta meto el libro de historia bajo las mantas para ver si me da sueño. No hay suerte. No hay manera de quedarme dormida, por lo menos hasta que Drea me llame como me ha prometido.

–El amor es sorprendente –digo, procurando apartar mis pensamientos del teléfono. Repito la críptica frase una y otra vez, como si de algún modo repetir las palabras les confiriese sentido. Para mí, el amor no ha sido lo que se dice una comedia últimamente, sino más bien una tragedia de tomo y lomo, pero ahí tiene que haber una pista.

Salgo de la cama y cojo la gruesa vela púrpura que usé para leerle las cartas a Drea. La enciendo en busca de inspiración y clarividencia y observo cómo el cuenco poco profundo que rodea el pabilo se llena de ardiente cera líquida.

Suena el teléfono. Lo cojo de un brinco.

–¿Diga? ¿Drea?

–Tú no eres Drea –responde la voz masculina al otro lado–. Ya sé que no está. Eres tú, Stacey. Quiero hablar contigo.

Me tiemblan las manos solo con oír su voz, con oírle decir mi nombre. Es *él*.

–Sé que esta noche estás sola, Stacey –prosigue–. Por eso he llamado. ¿No me vas a preguntar qué tal estoy?

–¿Qué es lo que quieres?

–Ya te lo he dicho. Quiero hablar contigo.

–No estoy sola –replico, mirando la amatista.

Él se ríe lenta y deliberadamente.

–¿Por qué me mientes, Stacey? Sé que estás sola. Toda la noche. Sola con las velas.

Cuelgo el teléfono, bajo las persianas hasta la repisa y compruebo la puerta dos veces para cerciorarme de que la he cerrado con llave.

El corazón me golpea el pecho como si hubiera algo dentro intentando salir. Cojo el bate de béisbol que hay detrás de la puerta y me siento en medio de la cama, preparada, esperando a no tengo ni idea qué.

El teléfono vuelve a sonar. No quiero responder, pero he de hacerlo. Podría ser Drea. Y no puedo salir corriendo.

Me dispongo a descolgarlo cuando cesa. Lo cojo de todas formas para llamar a Amber. Sé que no le importará pasar la noche aquí conmigo, o mejor aún, que vaya yo. Empiezo a pulsar los números, pero no hay tono.

–¿Diga? –le digo al auricular.

–¿Por qué me has colgado? –pregunta.

Es él. Otra vez. Me tiembla la barbilla. Me palpita el corazón. Mis dedos se quedan sin sangre, sin fuerza, haciendo que casi suelte el teléfono.

Pero entonces su voz borbotea de nuevo en mi oído:

–Te he hecho una pregunta –dice.

–¿Quién eres?

–Lo sabréis dentro de poco.

–¿Qué quieres de mí? –Aprieto el cristal devic entre los dedos, esperando que su energía se filtre a través de mis poros y me conceda la fuerza que necesito.

–Me ha dicho un pajarito que eres un monstruo de feria –declara al cabo de una pausa.

–¿*Qué?* –pregunto.

–Me han dicho que ves cosas en sueños, como si fueras psíquica o algo así.

–¿Qué clase de cosas?

–Cosas sobre mí y Drea –responde–. Cosas que podrían estropear la sorpresa que quiero darle.

–¿Qué sorpresa?

–Si fueras una verdadera bruja lo sabrías. ¿Lo eres?

–Sí. –Me siento segura diciéndolo, como si la propia afirmación fuese poder.

–Aléjate de ella –advierte–. Esto no tiene nada que ver contigo ni con tu supuesta brujería.

–Aléjate *tú*.

–No se te ocurra intentar joderme –aconseja–. Que no se te olvide quién manda aquí.

–No se me olvida –replico, desafiante.

–Si no encuentras la forma de alejarte de ella *yo* la encontraré por ti.

Siento que se me pone la cara roja, que la sangre me bombea por las venas hasta los pómulos.

–¿Qué vas a hacerle dentro de tres días? –balbuceo.

–Si te lo dijera no sería una sorpresa, ¿verdad? Ah, y por cierto, voy a devolverte un regalito tuyo que encontré en la lavandería. Parece que estás teniendo un problema últimamente. Imagina lo que dirían todos si lo descubrieran, Stacey. ¿Qué crees que diría Chad?

–¿Quién eres? –Siento que me incorporo.

–Ocúpate de tus asuntos y yo me ocuparé de los míos. Que duermas bien, Stacey.

Se escucha un chasquido al otro lado del teléfono cuando cuelga. No obstante, me quedo con el auricular apretado contra la oreja, esperando que vuelva a descolgarlo, que me diga cómo sabe lo que siento por Chad. El teléfono emite un nuevo chasquido seguido por un tono de llamada.

Suelto el auricular y miro hacia la ventana. Sé lo que me espera al otro lado.

Me dirijo hacia ella y me asomo al jardín desde el otro lado de la persiana. No hay nadie. Abro el pasador del panel, subo la ventana y miro hacia abajo.

Allí está. La ropa sucia que dejé en la lavandería. Los pantalones sucios del chándal azul están doblados en el alféizar de la ventana, debajo de una de las sábanas manchadas de pis. El resto se halla amontonado en el suelo. Siguen estando sucias, desagradables y apestosas. Sin embargo, sepulto la cara en una esquina de la sábana y me permito llorar.

DIECINUEVE

Friego las sábanas sucias en el lavabo; las burbujas de tejido blanco rebosan del borde de porcelana formando charcos de agua espumosa. Procuro serenarme y concentrarme en el murmullo del agua y en su capacidad purificadora; concentrarme en lo realmente importante: salvar a Drea. Pero no puedo evitar sentir lástima de mí misma. La llamada de telefóno ha hecho que me sienta sumamente indefensa.

Una cosa es que la gente te considere un bicho raro por profesar la wicca[9], pero mojar la cama a los dieciséis años es una historia completamente distinta.

Suena el teléfono. Lo primero que pienso es que se trata de Drea. Por fin. Me llama desde la casa de su tía. Me arrojo sobre las mantas apiladas en la cama para contestar.

–¿Diga? ¿Drea?

–La última vez que miré, no –responde la voz masculina al otro lado.

Como si fuera un acto reflejo, cuelgo el teléfono. ¿Por qué me hace esto? ¿Por qué sigue llamándome? Respiro profundamente y espero a que este vuelva a sonar. Sé que lo hará. Y lo hace. Pero esta vez estoy mejor preparada. Descuelgo el auricular y espero a que hable.

–¿Stacey?

---

(9) N. del T.: religión pagana basada en la práctica de la brujería.

¿Chad?

–¿Chad?

–Sí, soy yo. ¿Por qué me has colgado hace un momento?

–Ah, pensaba...

–¿Qué?

–Nada.

–¿Qué? ¿Que era ese chiflado que no deja de molestaros?

–Ah, sí –digo–. Olvidaba que Amber te lo ha contado.

–No solo a mí. Todos están hablando de eso.

–¿En serio? *¿Todos?*

–Bueno, algunos.

Nota mental: matar a Amber. Aunque a lo mejor la que ha cantado ha sido Verónica. Han pasado dos escandalosas horas desde que nos despedimos en El Ahorcado. Es una tarea completamente factible para una bocazas como ella.

–Mira –digo, sintiendo que de pronto me sobrevienen ganas de putearlo–. Drea no está, si llamabas por eso.

–¿Qué? ¿Es que no puedo llamarte a *ti?*

Aprieto las mandíbulas esperando a que las palabras se filtren desde mi cerebro, pero no sé qué decir, ni siquiera sé si habla en serio.

–¿Dónde está? –pregunta.

–Va a pasar la noche en casa de su tía. –Y en cuanto balbuceo estas migajas deseo tragármelas de nuevo. No le hace falta saber dónde está Drea esta noche. Ni a nadie.

–¿Cómo es eso?

–¿Por qué llamas ahora? Es casi la una.

–Ya lo sé –admite–. Es que no podía dormir y me he pasado toda la noche en vela pensando que mañana voy a suspender el examen de física. Esperaba que os quedarais toda la noche de empalmada.

¿Examen de física?

—Estoy despierta —explico al fin— porque hay un chiflado al que le gusta llamar a las chicas en mitad de la noche para meterles miedo. Me parece que voy a llamar a Amber para que me haga compañía.

—Puedo ir yo —sugiere—. Como ninguno de los dos puede dormir y eso. No tiene sentido molestar a Amber. Además, a lo mejor puedes tomarme la lección antes del examen.

Me paso una mano por la parte de atrás del pelo y me levanto para mirarme en el espejo.

—¿Te parece buena idea? Es que...

—Bueno, has dicho que Drea no va a volver esta noche, ¿no?

—¿Sí?

—Y estás recibiendo todas esas llamadas anónimas. No deberías estar ahí sola.

Me aparto el flequillo de los ojos y me muerdo el labio. No sé qué decir. ¿Acaso he de esperar otros tres años para comprobar si le van bien las cosas con Drea, o ha llegado el momento de que coja las riendas de mi propio destino? Le quito la punta a los cuernos y la cola puntiaguda que parece que han empezado a salirme recordándome que Chad también es amigo mío. ¿Por qué he de sentirme culpable cada vez que entra en una habitación?

—¿Y bien? —insiste—. Di algo.

—Vale. Pero solo para estudiar.

—¿Para qué si no? —pregunta con una sonrisa—. Llegaré dentro de un rato.

Cuelgo antes de que ninguno de los dos pueda despedirse o cambiar de opinión. Y por mucho que me recuerde que no se trata de una visita social sino de una ocasión para empollar física, decido que probablemente los pantalones oscuros y abolsados no me favorecen. Por el contrario, me pongo un par de pantalones de pijama de color rosa y blanco, cortesía de la cómoda de Drea y una camiseta blanca sin mangas mía. Vacío el lavabo, escurro las sábanas y las meto en una bolsa de colada nueva.

Chad llama a la ventana al cabo de menos de quince minutos. La abro para dejarlo pasar y me siento corriendo en la cama, que he desordenado a propósito con los apuntes de física, las fichas del laboratorio y los exámenes anteriores de modo que no haya espacio para él tentaciones para mí.

–Sí que has estado ocupada –comenta al tiempo que vuelve a subir la ventana. Busca un sitio donde sentarse en la cama. Pero los únicos espacios desocupados están en el suelo, entre montones de ropa, o en la cama de Drea. –Bueno, ¿cuánto tiempo has estudiado? –pregunta, optando por la cama de Drea.

Finjo estar absorta en los apuntes de velocidad y masa de la clase de la semana pasada.

–No lo suficiente –respondo, alzando la vista para mirarlo. No puedo evitarlo. Es que tiene una pinta absolutamente perfecta. Se ha puesto una gorra de béisbol como si acabase de levantarse de la cama. Una preciosa sudadera de algodón con la que yo podría envolverme. Gafitas de montura negra de alambre. Cuando me sonríe no puedo evitar mirarle fijamente la boca. Esos labios. Los dientes. La forma en que se superponen los incisivos inferiores cuando los miras de cerca. Aparto la mirada y me concentro en los apuntes–. Supongo que podría decirse que mis notas se han ido a la porra este trimestre.

–Lo mismo digo. –Saca un montón de papeles arrugados de las solapas interiores de su libro de texto y lo añade a la colección que tengo en la cama–. ¿De qué tema es el examen?

–Del siete. Me parece.

Se reajusta la gorra, despidiendo una oleada de efluvios que flotan hasta justo debajo de mi nariz. Huele a sudor pegajoso sobre la piel, a colonia gastada cuyo aroma se hubiese agotado a lo largo de la jornada y a desodorante de almizcle pastoso mezclado con champú de manzana verde. Es una fragancia que me gustaría embotellar para poder destaparla a voluntad y embriagarme con ella.

–¿Y por qué crees que tus notas han empeorado? –pregunta.

–No lo sé –admito–. Supongo que tengo otras cosas en la cabeza.

–¿Ah sí? –Cierra el libro–. ¿Como cuáles?

Paso las páginas del libro de texto hacia delante y hacia atrás, escrutando las preguntas de repaso del tema diez, aunque el examen sea del tema siete.

–Si te preocupa algo puedes contármelo –dice–. ¿Has recibido otra llamada anónima después de que colgásemos?

–No.

–Pues relájate. Ahora no te está llamando, ¿verdad? A lo mejor sabe que estoy aquí.

–¿Por qué dices eso? –pregunto.

–No lo sé. A lo mejor solo quiere llamar cuando estás sola. O por lo menos cuando solo hay chicas. A lo mejor un chico lo intimida.

Siento que trago saliva. Los ojos de Chad se posan en mi cuello cuando reparan en ese gesto.

–Ojalá *llamase* mientras estoy aquí –dice.

–¿Por qué? –pregunto.

–Porque al menos sabrías que no soy yo.

¡Ostras! Es una afirmación tremenda, pero no puedo oponerme.

–¿Eso es lo que crees que siento?

Se traslada de la cama de Drea a la mía, dejándose caer sobre un montón de papeles y obligándome a apartarme para evitar el roce de sus caderas.

–No lo sé. *¿Qué* es lo que sientes?

Concentro mi atención en el trapezoide tridimensional que he garabateado cerca de la espiral del cuaderno. No puedo mirarlo. No puedo responder a la pregunta que me ha hecho; es la misma pregunta que ha flotado sobre nuestras cabezas desde que nos conocimos hace tres años.

Paso una página del cuaderno para ganar tiempo.

–¿Qué es lo que siento por qué?

Percibo que se siente frustrado. Se da la vuelta a la gorra de modo que la visera sobresalga hacia atrás.

–Por mí –dice–. ¿Qué es lo que sientes por mí?

No puedo creer que lo haya dicho de verdad. Que me lo haya preguntado de verdad, con un lenguaje verbal real y directo. Busco algo en la habitación, una idea que me permita apartarme de la dirección del interrogatorio. Distingo una de mis fichas del laboratorio sobresaliendo bajo su nalga derecha.

–Te has sentado en mis nanopartículas –digo.

–¿Eh?

¿De verdad he dicho eso? Señalo con mi cabeza la ficha que está debajo de sus nalgas perfectamente redondeadas, y él la desliza hacia fuera completamente arrugada. Sin embargo, las recién formadas hendiduras de su trasero sobre el suave papel blanco casi me dan ganas de enmarcarlo.

–Dímelo –insiste, con una expresión completamente seria–. Necesito saberlo.

–¿Quieres saber si creo que tú eres el que está acosando a Drea? –Me siento estúpida hablando de esta forma, formulando preguntas que eluden deliberadamente el verdadero interrogante, pero no puedo obligarme a reconocerlo. No hasta que esté segura de que todo ha terminado entre Drea y él.

–Vale –accede–. Empecemos por eso. *¿Lo crees?*

Lo miro a los ojos y reflexiono sinceramente sobre su pregunta y mis sentimientos. Pienso en el sueño que he tenido en el que aparece ante la ventana. En que su camiseta desapareció de nuestra habitación, pero después él se presentó con ella puesta, afirmando que alguien la había metido en su buzón junto con una de las notas.

Pienso en que intentó asustarnos con la máscara de hockey, que siempre nos llama en el momento oportuno y que lo vimos en la cabina telefónica que hay frente a la biblioteca, apenas unos minutos después de que se produjera una de las llamadas anónimas.

Pienso en que tiene sentido, que sería la manera perfecta de librarse de Drea. O sencillamente de castigarla por haberle hecho tantas jugarretas mentales a lo largo de los años.

Y entonces pienso en lo decepcionada que estaría yo si realmente fuese él.

Estudio su cara en busca de un sobresalto o un titubeo, cualquier cosa que me proporcione un indicio de que no es él, de que no está involucrado. Pero no estoy segura. Sencillamente no lo sé.

–¿Y bien?

–¿Eres tú?

–Ojalá no tuvieras que preguntármelo.

–¿Eso es un no?

Niega con la cabeza y me levanta la barbilla con el dedo. El olor mentolado de su pasta de dientes impregna el aire que nos separa. Se acerca a mí, deteniéndose a escasos centímetros de mi boca, tan cerca que distingo los diminutos puntos de vello rubio infantil que le rodean el labio superior.

–Espera, ¿eso es un sí? Tengo que saberlo, Chad.

Me odio a mí misma por preguntárselo, por ser leal, por tener que saber la verdad y por quererlo de todas formas. Se acerca aún más, tanto que la piel de nuestros labios se toca. Blanca, húmeda y mentolada como el té caliente. Me dan ganas de romper a llorar de pura frustración. Pero no lo hago. Impido que se me cierren los ojos, que mis labios se estremezcan contra los suyos. Y espero la respuesta.

–Es un sí –responde al fin–. Soy yo. –Cierra los ojos y aprieta fuertemente sus labios contra los míos. Al principio no sé si debo devolverle el beso, pero entonces mi boca simplemente lo hace. Un beso de tornillo en todos los morros que me produce un cosquilleo por todo el cuerpo.

Cuando nos separamos, mi mirada no se aparta de su boca, casi temerosa de que si lo miro a los ojos despertaré de un sueño placentero. Me toca la mejilla con las yemas de los dedos y después me levanta los labios para volver a saborearlos.

–He estado esperando para hacer esto desde la última vez –afirma.

–¿De verdad? –Intento reprimir la sonrisa que se dibuja en mi rostro.

–¿Te acuerdas? –Sus ojos van desde mi boca hasta mis ojos–. ¿De la última vez?

Asiento.

Se acerca para darme otro beso, pero mis palabras lo detienen.

–Cuando dijiste que eras tú, no querías decir que eres *el* que anda detrás de Drea, ¿verdad?

–¿*Tú* qué crees?

–No creo que lo seas. –Y realmente no creo que lo sea. Pero, no obstante, quiero, necesito, oírselo decir.

Me sonríe aliviado y se inclina para besarme.

–¿Qué pasa con Drea? –digo, deteniéndolo de nuevo–. ¿Qué pasa con lo que ella siente por ti?

–En realidad ella no siente nada por mí. –Suspira y aparta su boca de la mía–. Solo lo *cree*. Si quisiera invitarla a salir de nuevo, y no quiero hacerlo, pero si quisiera, me diría que sí, disfrutaría la victoría durante unos días y después querría romper. Con ella siempre ha sido así, como si fuera una especie de juego.

–¿Crees que a lo mejor sigues sintiendo algo por ella?

–Claro, hemos crecido juntos. La quiero. Mucho. Pero no como ella cree que quiere. –Me coge las manos y las envuelve entre las suyas, transmitiéndome un cálido y centelleante cosquilleo por la espalda–. Drea y yo nos llevamos mucho mejor como amigos.

–¿Por eso quieres a otra persona?

–¿Es que no lo entiendes? No me importa otra persona.

Nos miramos y no estoy segura de lo que me pasa, si se trata de su forma de fruncir el ceño, suplicándome que lo entienda, de la posición de sus labios, que me suplican que los bese, o de puras hormonas americanas sin adulterar, pero de repente me abalanzo sobre él. Mis manos, mi boca, mis labios, mi corazón. Nos besamos; un beso prolongado, delicado y pulposo como un invierno bajo las mantas junto a la chimenea. Pero luego lo aparto.

–No podemos –digo, sin aliento–. No podemos hacer esto. Quiero hacerlo, pero...

Chad me rodea los hombros con los brazos y me aprieta contra su pecho. Escucho el ritmo de los latidos de su corazón y desisto de decir nada más. Solo quiero llorar.

VEINTE

Ahora va a ser imposible estudiar. Estoy sentada en la cama, pasando las páginas hacia atrás entre los resúmenes de los temas, recorriendo con la mirada las columnas de términos físicos sin sentido, pero mi mente no consigue asimilar nada de nada.

–A lo mejor deberíamos salir a tomar el aire –sugiere Chad al tiempo que cierra el libro.

Asiento, aliviada por el cambio de escenario, esperando que el aire frío de la noche me aclare las ideas.

Y como si se debiera a una fuerza celestial, acabamos en el árbol donde nos besamos por primera vez, aunque ninguno de nosotros lo señala. Por el contrario, nos limitamos a pasar de largo con las linternas en la mano, dejando atrás el jardín para adentrarnos en los bosques, hablando con cierta incomodidad de horarios de hockey y de comida china, de cosas que ni siquiera parecen tener importancia en este momento.

Esta noche el bosque despide cierto aroma a almizcle semejante a la combinación de piel salada y perfume, como el de las noches de verano calurosas y pegajosas dentro de una tienda de campaña. Aspiro la fragancia, esperando que se adhiera a mi ropa y mi pelo para poder saborearla más tarde.

–Vuelvo en seguida –dice Chad–. La naturaleza me llama.

Asiento y aparto la mirada mientras desaparece detrás de un grupo de árboles. Espero unos minutos antes comenzar a preocuparme.

–¿Chad? –exclamo–. ¿Va todo bien? –Como no me contesta me dirijo a la arboleda hacia donde se encaminaba. Levanto las ramas y me aparto la maleza de los ojos, alejándome cada vez más con la esperanza de encontrarlo.

Pero no lo hago.

En cambio, llego a un claro. Me asomo entre dos largas ramas llenas de hojas que se interponen en mi camino y distingo una especie de voluminosa estructura de madera iluminada por la luna.

–¡Chad! –vocifero–. ¡Sal de una vez!

La estructura casi parece una casa, tablas de madera desnuda que parecen sacadas de un astillero clavadas unas junto a otras para formar una gigantesca base cuadrada y tablones individuales que se elevan a modo de paredes.

¿Chad me ha traído hasta aquí a propósito? ¿Acaso cree que esto es divertido?

–¡Chad! –le grito a la estructura–. Me estás asustando.

Me dispongo a dar otro paso, pero entonces me detengo. Escucho. Alguien me está siguiendo. Lo oigo. Oigo las ramas y las hojas caídas que crujen bajo sus pies.

Siento un dolor burbujeante en mi estómago. Tengo que hacer pis. ¡Ahora mismo! Por el rabillo del ojo atisbo uno de esos aseos portátiles, como los de color verde menta que se ven en los parques de atracciones. Aprieto los muslos y voy hacia él lo mejor que puedo, valiéndome de la luz de la luna para guiarme. Pero antes de que pueda darme cuenta, meto el pie en una zanja y pierdo el equilibrio, golpeándome con fuerza la mejilla izquierda contra la tierra polvorienta.

En algún lugar de la casa se enciende una luz a modo de respuesta. Salgo de la zanja y me siento sobre los talones. Hay unas letras grabadas en el suelo; letras largas y rectas, de por lo menos medio metro de largo. Dicen DREA.

Rodeo el nombre y me dirijo al aseo portátil, que todavía se encuentra a varios metros de distancia. Necesito saber si hay alguien en la casa. Si se trata de la persona que ha encendido la luz y ha grabado el nombre de Drea en la tierra. Si el que me pisa los talones es Chad, que intenta darme un susto de muerte. Pero primero tengo que hacer pis; no hay comparación.

Me duele el estómago a cada paso que doy. Pero consigo llegar hasta allí y girar el picaporte de la puerta. Está cerrada con llave.

–¿Chad? ¿Estás ahí dentro? –Aprieto los muslos; me oigo gimotear como si fuera un cachorro. Espero unos instantes. Nada. Silencio. Un silencio oscuro, solitario y nocturno.

Hay alguien dentro.

Retrocedo, siento que mi pecho se hincha y se deshincha, mi respiración es casi independiente de mí. Chad me respondería. No bromearía durante tanto tiempo. Sabe cuánto me han asustado las llamadas de teléfono.

Miro hacia la abertura semejante a una puerta de la casa y entro corriendo. Un reflector me recibe con un golpe metálico en la frente. Está suspendido de una viga maestra, justo debajo del techo incompleto, y alumbra toda la zona. Me froto la contusión y miro alrededor. Han levantado tablas para crear un largo pasillo con habitaciones adyacentes a derecha e izquierda.

Un sonido desgarrador, como una gruesa cinta adhesiva, resuena en algún punto del pasillo.

–¿Chad? –exclamo–. ¿Eres tú?

El ruido cesa.

–Esto no tiene gracia, ¿sabes? –Casi espero encontrarlo en una de las habitaciones con alguna ocurrencia romántica estereotipada, como un picnic a la luz de las velas o un dormitorio lleno de margaritas, aunque hayamos decidido, de mutuo acuerdo, que las cosas sigan siendo platónicas. Aprieto mi mano contra las piernas y empiezo a recorrer el pasillo lentamente; las suelas de goma de mis zapatillas amarillas producen un leve chirrido contra el suelo de madera.

Hay cuatro puertas a elegir, dos a cada lado. Decido dirigirme a la más cercana por la derecha, pues tiene la arcada más grande y desde este ángulo distingo un rincón desierto al otro lado. Avanzo dos pasos y me detengo al oír el crujido de una tabla en alguna parte delante de mí.

–¿Stacey? –susurra una voz.

Y entonces la luz se apaga.

Me vuelvo cojeando hacia el marco de la puerta principal, prácticamente pellizcándome con los dedos los pliegues de piel entre mis piernas. Con la otra mano palpo las paredes, volviendo al pasillo, un tablón tras otro, para encontrar la salida. Pero es como si el pasillo no terminara, como si continuara sin parar.

¿Qué pasa? ¿Por qué no he salido aún? ¿Por qué ni siquiera he llegado a la estancia principal?

Veintiséis tablones de madera más adelante, dejo de buscar la entrada. Por el contrario, desesperada, tanteo las oquedades que separan los tablones. Miden unos quince centímetros de ancho. Meto el brazo hasta el fondo en una abertura y percibo el hálito del viento entre los dedos. La libertad está al otro lado, estoy segura. Y si consigo escurrirme hasta allí, volveré a estar fuera, en el bosque, y podré regresar al campus.

Los pasos recorren el pasillo en mi dirección. Aspiro una honda bocanada, meto tripa y aprieto el hombro contra la abertura. Ladeo la cabeza para caber; saco la pelvis; meto la pierna. Pero no sirve de nada. Los tablones de madera se hunden en mis costillas al no ceder los huesos ni la carne. Ahora no hay duda; estoy atrapada aquí dentro.

Suena un teléfono en una de las habitaciones.

−Es para ti, Stacey −anuncia una voz.

La voz. Es *él*. Y está muy cerca, se diría que al alcance de la punta de los dedos.

−Será mejor que lo cojas −advierte.

Nueve tonos, diez.

−*¡Coge el teléfono, Stacey!* −masculla, como si estuviera apretando los dientes.

Me dirjo al aullido del teléfono mientras la punzada bajo el abdomen me recuerda que tengo que hacer pis.

−Caliente.

El timbre se hace más sonoro a cada paso. Con el brazo extendido busco el teléfono mientras sigo reprimiendo el pis con la otra mano. Atravieso una abertura y se enciende una luz. Se trata de un reflector suspendido de uno de los tablones del techo, que ilumina un teléfono de pago instalado en la pared justo delante de mí que no deja de sonar.

−Es para ti, Stacey −repite la voz.

Descuelgo el auricular y siento que la mitad inferior de mi cuerpo se distiende y que mis pantalones se llenan de tibieza y humedad.

−¿Diga? −susurro, intentando aparentar que no estoy llorando, que no siento lástima de mí misma, que no estoy medio muerta de miedo.

−Hola, Stacey −contesta él−. Está a punto de acabarse el tiempo. Solo nos quedan dos lirios en el ramo.

−¿Quién es?

−El amor es sorprendente, Stacey. ¿No lo sabías? −Percibo su aliento en la nuca. Está justo detrás de mí.

Me doy la vuelta y lo miro a los ojos.

−No puedo creerlo −susurro−. Eres tú.

VEINTIUNO

Me incorporo con un jadeo.

−¿Stace?

Parpadeo y miro alrededor. Sigo en mi habitación. Sigo llevando la camiseta blanca sin mangas y los pantalones de pijama de Drea.

Y Chad sigue a mi lado, en mi cama.

Me muevo ligeramente para comprobar si realmente me he mojado.

Lo he hecho.

El reloj indica que son las seis y cuarto de la madrugada. Hemos dormido más de cuatro horas.

−¿Has tenido un mal sueño? −Se incorpora y se frota los ojos.

Sé que he visto la cara del acosador en mi sueño. Pero ahora, sentada en la cama, rodeada por el vértigo de la realidad, no consigo recordarla.

−Deberías marcharte −digo.

Pero Chad no se mueve.

−Por favor. −Aparto su mano de mi hombro.

−Hey −protesta−. ¿Por qué me tienes tanto miedo?

−No te tengo miedo. Márchate. ¡*Largo*!

−¿Es por lo que pasó anoche? Porque...

−Anoche no pasó nada −replico.

−Nada no −objeta.

Guardamos silencio durante unos segundos. Aprieto los dientes hasta que me duele la mandíbula.

–¿Qué hay de todo lo que nos dijimos? –pregunta– Ya sabes, que si las cosas fueran distintas...

–Pero no lo son –lo interrumpo.

–Supongo que eso es todo –dice–. Si no te importa, esperaré hasta que lo sean. Porque lo de anoche sí que significó algo para mí.

Lo odio por ser tan perfecto. Odio quererlo y que me quiera. Odio quedarme aquí sentada, teniendo que suplicarle que se marche para poder limpiar la mancha.

–No hace falta que digas nada –añade–. Solo quería que lo supieras.

Me recojo las mantas alrededor de las piernas, sintiendo el calor de los pantalones y las lágrimas que ruedan por mis mejillas.

–¿Tienes frío? –Se aparta las mantas de la cintura y me las pone encima.

Asiento y me aprieto el edredón en el regazo.

–Vete, por favor, Chad.

–No quiero dejarte disgustada.

–¡*Vete!* –imploro–. Déjame sola.

–¿Por qué? ¿Por qué haces esto?

–Porque no me importas –estallo. Una estocada mortal.

El pecho de Chad se desinfla a causa del golpe recibido.

–No te creo –responde al cabo de una pausa. Tiene la voz áspera, como si le hubiera arrancado sangre de las entrañas.

Se levanta de la cama y aparta la mirada para ocultar su rostro. Su cuerpo parece cansado, derrotado, como si pudiera arrugarlo como una bola de papel y arrojarlo lejos.

Se agacha para ponerse los zapatos y entonces entra Drea.

¡Drea!

Observo cómo se derrite la sonrisa de su cara. Estudia la imagen que presentamos Chad y yo: Chad, alargando la mano para coger una zapatilla, con la ropa de ayer colgada de su cuerpo en una gigantesca arruga, y yo, todavía acostada en la cama. Examina a Chad desde el pelo desgreñado hasta la pernera del pantalón remangada alrededor de una rodilla.

–Drea... –musita este.

Ella se vuelve hacia mí, soltando una taza de café y una bolsa de papel encerado que se estrellan contra el suelo con un "plaf".

–Te he traído el desayuno.

Abro la boca para decir algo, pero todas las palabras que se me ocurren (*esto no es lo que parece, ha sido un accidente, nos hemos quedado dormidos*) suenan completamente patéticas.

–Drea, antes de que te chines... –Chad se adelanta un paso hacia ella, exponiendo la mejilla que tiene impreso el volante de la cama.

–¡No me hables! –vocifera ella.

–Drea... –empiezo.

–¿Cómo has podido hacerme esto? –exclama.

–Si no ha pasado nada –respondo.

–Tiene razón –interviene Chad–. No ha pasado nada. Vine a estudiar y nos quedamos dormidos.

–No me extraña que no me respondieras cuando te llamé anoche.

–¿Qué?

–No te hagas la inocente conmigo. Intenté llamarte anoche, como te había prometido, pero no me respondiste. Supongo que estabas demasiado ocupada.

Miro hacia la mesita de noche, pero el teléfono no está ahí. Busco alrededor y vislumbro el cable que sobresale bajo un montón de ropa sucia.

–Drea, no lo oí sonar.

–¡Vete a la mierda! –farfulla mientras se le llenan los ojos de lágrimas.

–Drea, estábamos estudiando y nos quedamos dormidos.

–Ya. Amber me había advertido lo mucho que te gusta.

¡Ay! ¿Amber se lo ha dicho de verdad?

–Vamos, Dray –insiste Chad–, no le des más importancia de la que tiene. Vine porque tengo un examen de física dificilísimo mañana... es decir, hoy...

–Supongo que no te costó oírlo a *él* cuando te llamó –lo interrumpe.

–En fin –prosigue Chad–, pensé que a lo mejor os quedábais de empalmada. Pero Stacey me dijo que ese pirado la estaba llamado y que no podía dormir. Así que le dije que vendría y que así los dos podríamos estudiar.

–Qué amable de tu parte –se burla ella.

–¿Qué tiene de malo? –dice Chad.

–Vete a la mierda tú también.

–Qué te parece, Drea –responde–, si me llamas cuando se te pase el berrinche. –Coge la gorra de la mesita de noche y la se pone sobre el pelo revuelto.

–Espera sentado.

–Mira –dice–, Stacey es amiga mía y si eso te molesta...

–¿¡Qué!?

–Tampoco es que estemos saliendo –señala–. Somos todos amigos, nada más.

–Tú no eres mi amigo –objeta ella–. Ninguno de vosotros. –Nos da la espalda para rebuscar en su mini nevera. Saca una barrita de chocolate medio comida y retira el envoltorio.

Alguien llama a la puerta.

–¿Chicas?

Madame Descarga.

–Se oye mucho ruido en vuestra habitación –dice–. ¿Va todo bien?

–Muy bien –responde Drea.

–¿Stacey está bien?

Chad busca alrededor un sitio donde esconderse, pero es inútil; los armarios están llenos a rebosar, y de ninguna manera se va a meter debajo de mi cama.

–Debería dejar que te la cargaras –susurra Drea.

–Estoy bien, señorita LaCharge –exclamo–. Me estoy vistiendo.

–Tengo que entrar un segundo –replica ella.

Chad me mira por última vez antes de salir pitando por la ventana. Drea abre la puerta dos segundos después. Madame Descarga mira en la habitación, con sus ojillos grises engullidos por un par de gafas rojas de montura metálica.

–¿A qué se debe tanto ruido?

–Solo estábamos discutiendo sobre si debía cortarme el pelo o no –explica Drea.

–Ah –Madame Descarga examina los mechones de Drea–. Sí, un poco más corto te quedaría mono. –Se rasca la barbilla ante la idea, frotándose al menos cinco pelos con el dedo.

–Tenemos que vestirnos, de verdad. –Añado una almohada al montón de ropa de cama que he acumulado sobre mi regazo y los efluvios de la colonia de Chad flotan ante mi cara.

–Vale –accede Madame–. Pero bajad la voz. Hemos recibido algunas quejas sobre vosotras dos.

–Lo haremos, señorita LaCharge. Gracias. –Drea cierra la puerta a sus espaldas.

–Drea... –empiezo.

–¡No!

–No puedes dejar de hablarme así sin más –protesto.

–¿Por qué no?

–Porque somos amigas.

–Las amigas no se apuñalan por la espalda.

–¿Es que no crees que no ha pasado nada?

–Oh, sí que me lo creo. –Se planta al pie de mi cama con los brazos en jarras–. Pero no porque tú no *quisieras* que pasara algo.

–¿Qué estás diciendo? –Aprieto los muslos, sintiendo que la humedad de *su* pijama se adhiere a mi piel.

–Estoy diciendo que anoche le mentiste a Chad diciendo que habías recibido llamadas anónimas para que se apiadara de ti y viniese.

–Eso no fue lo que pasó.

–¿Pues *qué* pasó? –Levanta el extremo de las mantas, descubriendo mis pies descalzos.

–Nada. Ya te lo hemos dicho. –Vuelvo a bajar las mantas con los pies lo mejor que puedo, sintiéndome ahora, más que nunca, prisionera en esta cama hasta que todos se marchen.

–¿Lo has besado?

–Drea...

–¿Lo has hecho?

Ya sé que es patético, que se volverá contra mí por partida triple, pero ahora mismo estoy dispuesta a aceptarlo. Solo quiero que me dejen sola.

–No –respondo al fin.

–Mentirosa. –Arroja la barrita de caramelo sobre la cama–. ¿Qué más has hecho con él? –Agarra el extremo del edredón y se asoma debajo.

–¡No, Drea! ¡Por favor, no lo hagas!

Drea enarca una ceja ante mi respuesta.

–¿Qué es lo que no debo ver? –Me aparta el edredón de las piernas de un tirón y las almohadas salen volando. –¿No es ese *mi* pijama?

Las lágrimas ruedan por mis mejillas mientras espero a que se dé cuenta. Y cuando lo hace, es más humillante aún de lo que había imaginado.

–¿Te has meado en la cama?

–Drea... –lloro, intentando cubrirme el regazo con las manos–. Por favor... no se lo digas a nadie.

–¡Ay, Dios mío! –Parece que no sabe si asquearse o reírse a carcajadas–. *¡Te has meado en la cama!*

Sepulto mi cara en las almohadas como un avestruz, como si ella no pudiese verme, como si pudiera sencillamente desaparecer.

VEINTIDÓS

¿Por qué habré decidido venir hoy a clase? ¿Cómo demonios voy a hacer un examen de física después de todo lo que ocurrió anoche?

La pregunta número uno ya tiene demasiadas variables. ¿Cómo voy a saber cuál es la P de un ladrillo bajo condiciones G si para empezar ni siquiera sabía que los ladrillos tuviesen P ni experimentasen G? Alzo la vista de aquella sopa de letras para mirar a Chad, que está sentado a mi derecha, tres asientos más adelante. Me pregunto si sabrá que mojo la cama, si Drea ya se lo habrá contado.

Procuro quitármelo de la cabeza y concentrarme en la pesadilla de anoche. En la cara del acosador. Sé que lo reconocí, pero ahora que estoy completamente despierta mi recuerdo de la cara ha desaparecido. He de volver a la residencia y tratar de recuperarlo de algún modo.

El sonido del timbre me da el pie. Garabateo mi nombre en la parte superior del papel para que el profesor sepa a quién ha de ponerle un enorme cero, lo entrego la primera y salgo corriendo por la puerta. Pero por desgracia no soy lo bastante rápida. Chad me detiene en el pasillo unas dos puertas más abajo.

–Lamento lo de anoche –dice, despeinándose el pelo con una mano–. Es decir, lo que pasó entre Drea y tú.

–No es para tanto.

–Sí que lo es y tú lo sabes.

Aparto la vista, preguntándome qué pensaría de mí si supiera mi secreto, si seguiría sintiendo lo mismo.

–¿Te ha dicho algo Drea? –pregunto–. Es decir, ¿te dirige la palabra? –Me concentro un instante en sus labios, recordando todos los detalles de anoche, la minúscula peca amarilla encima de la uve del labio superior y la cicatriz semejante a un hilo en la comisura izquierda del labio inferior. Prueba de que lo de anoche sucedió de verdad. De que lo besé de verdad.

–Sí que me dirige la palabra –responde–. Al principio, en clase de inglés, estaba enfadada. Ya sabes, se puso de morros y no se me acercó. Pero luego se le pasó. Intenté decirle que no se enfadara tanto contigo, pero no me escuchó. No entiendo por qué se enfada contigo y no conmigo.

–Porque tú eres el chico –digo.

Fin de la conversación.

–En fin –prosigue–, me alegro de que pasara lo de anoche, es decir, aparte de que os peleárais.

–¿Ah sí?

–Sí. No puede seguir pensando que le pertenezco. Como te dije anoche, Drea y yo estamos mejor como amigos. Es el único modo en que nos llevamos bien de verdad.

–Me alegro de haberos ayudado. –Me echo la mochila al hombro y me vuelvo para marcharme.

–Espera. –Chad me toca el brazo para detenerme.

–¿Qué? –aparto el brazo.

–No quería decir eso.

–Pues ¿qué es lo que querías decir?

–Quería decir lo que he dicho: que me alegro de que pasara.

–¿Drea sabe lo que sientes? ¿Le has contado lo mismo que a mí, que solo sois amigos?

Reflexiona un segundo.

–Bueno, no he llegado a expresarlo con palabras, pero seguro que lo sabe.

–A lo mejor no sabe tanto como tú crees. O a lo mejor es que no sabes lo que quieres.

–Sí que sé lo que quiero –afirma.

Alzo la vista y ahora es *él* quien mira *mi* boca y *mis* labios. Y lo que más quiero es mordérmelos, humedecerlos, meterlos hacia dentro o tapármelos con la mano. Pero en cambio sonrío y él me devuelve la sonrisa. Y de repente me siento atrapada en un ridículo anuncio de pasta de dientes de esos en los que los actores se ponen mimosos a causa del mero destello de los dientes del otro.

Nos quedamos así un instante, sin saber exactamente qué decir ni cómo dejar las cosas. Durante esos veinte incómodos segundos, mientras arrastramos los pies (los míos, con un par de Doc Martens de imitación; los suyos, con unas relucientes Sketchers negras con hebillas plateadas), intento preguntarme honestamente si borraría la noche pasada si pudiera, incluyendo el hecho de que Drea haya descubierto mi secreto.

Pero la respuesta es un categórico, rotundo y contundente *"no"*.

–Tengo que irme –dice–. Supongo que ya nos veremos.

–Supongo que sí –admito, sin saber si debería arrojarme en sus brazos o chocársela.

No hacemos ninguna de las dos cosas. Chad se mete las manos en los bolsillos y se dirige a su próxima clase. Yo, por otra parte, finjo migraña y me excuso de la clase de inglés de segunda hora. La verdad es que no tiene sentido estropear más notas hoy. Además, tengo cuestiones más urgentes que atender que una discusión sobre *Los cuentos de Canterbury*. Tengo que conjurar el rostro de un acosador, por el amor de Dios. Con suerte, un conjuro de memoria me ayudará.

* * *

Cuando llego a la habitación me dejo caer en la cama y reflexiono unos segundos sobre lo que sí recuerdo. Sé que mis pesadillas me llevaron de nuevo al bosque y que esta vez me esperaba una especie de estructura. Recuerdo los tablones de madera, las entradas abiertas y el nombre de Drea grabado en la tierra. Recuerdo el reflector, el timbre del teléfono y hasta el haberlo descolgado. Pero cuando intento visualizar a la persona que estaba detrás de mí, susurrándome al oído, todo se vuelve borroso.

Cojo el álbum de recortes familiar y recorro con el dedo el índice de contenidos incompleto que hay al principio. Hay diversos conjuros para la memoria, pero solo uno que ayude específicamente a revelar la persona con la que se ha soñado. Lo escribió mi tía abuela Delia. Paso las frágiles páginas hasta llegar al conjuro y advierto de inmediato que hay un par de ingredientes cubiertos por gotitas de cera. Procuro desprender los cuajarones, pero es inútil. Tendré que reconstruirlo lo mejor que pueda.

Aparto del espejo circular que tengo en el tocador los escasos cosméticos que poseo: un lápiz de labios color carne, una sombra de ojos malva y un tubo de purpurina que mi madre me puso en el calcetín en Navidad hace dos años. Pongo el espejo en el suelo y desenrosco la tapa de un bote de témpera negra.

Cuando miro al espejo mi reflejo me recuerda a la abuela. Me recojo el pelo con la mano en una cola de caballo para apartármelo de la cara y me doy cuenta por primera vez de que tengo sus dorados ojos castaños, no solo el color, sino que están hundidos en las cuencas con una especie de sensualidad íntima, como la de Bette Davis, y que los extremos de las pestañas se curvan hacia arriba.

Enciendo una gruesa vela azul y la coloco en un plato de plata. La abuela encendía una igual todas las noches antes de acostarse, pero hasta que cumplí doce años no le pregunté por el color. Recuerdo que me miró con sus pesados ojos, como si las bolsas de debajo fueran pequeñas hamacas suspendidas. Extinguió la llama con un apagavelas y frunció el ceño ante mi pregunta. Pese a todo contestó, ofreciéndome una respuesta que me no ha dejado de intrigarme hasta hoy:

–Porque el azul es para las pesadillas –explicó–. Para ahuyentarlas o acercarlas, dependiendo de cómo se use.

–¿Tú tienes pesadillas?

Ella asintió.

–¿Todas las noches?

Me acercó el plato de galletas de azúcar.

–Cómete las últimas –dijo–. Se van a poner malas.

Asentí y cogí una. La mastiqué despacio, preguntándome si ella podía oír el crujido de mi boca, esperando a que siguiese hablando y me dijese para qué usaba la vela azul, pero no lo hizo. Parecía cansada y desinflada, como si las hamacas de sus ojos pudieran caerse en cualquier momento. La observé mientras se acurrucaba en el sofá; su cuerpo parecía una *g* cubierta de franela, y esperé hasta que se durmió. Me pregunté si la vela azul realmente la ayudaba, o si las pesadillas estarían vivas en su mente en ese momento.

Por desgracia, nunca se lo pregunté.

* * *

La llama parpadea tres veces después de encenderla, y siento que un escalofrío me recorre los hombros, casi como si la temperatura de la habitación hubiera descendido de repente. Pero en lugar de asustarme, la sensación me reconforta. Porque en mi corazón sé que la abuela está aquí, velándome y guiándome como en los viejos tiempos.

Hundo un pincel en el bote y empiezo a dar pinceladas laterales sobre la superficie del espejo, de oeste a este, hasta que el cristal está completamente cubierto de negro.

–El espíritu de los sueños es eterno –susurro–. Vive dentro de mi mente.

Lleno una taza de agua en el lavabo y la meto en el mini microondas de Drea. Las instrucciones indican que he de beber una taza de té de manzanilla, girando la taza en el sentido contrario a las agujas del reloj después de cada sorbo.

Cuando el agua está lista sumerjo la bolsa de té en su interior, permitiendo que las volutas de vapor se eleven hasta mi rostro y me imbuyan la capacidad tranquilizadora de la flor de la manzanilla.

Rompo cuatro semillas de cardamomo y recojo en la palma de la mano los perdigones marrones que contienen.

–El espíritu de los sueños es eterno –recito al tiempo que los espolvoreo en el té–. Vive dentro de mi alma.

Reflexiono un momento sobre los ingredientes que faltan y decido emplear una cucharadita de plátano machacado para la profecía y espolvorear tomillo para la fuerza y el coraje. Los añado a la taza y remuevo el contenido en el sentido contrario a las agujas del reloj con una cuchara recién lavada.

–El espíritu de los sueños es eterno. Vive dentro de mi corazón.

Bebo un sorbo, concentrándome en los sabores del interior, que pueden concederme la visión que preciso.

–Que el espíritu que habita mis sueños se manifieste en mi mente, mi alma y mi corazón. –Giro la taza después de cada sorbo hasta que ya no queda nada, entonces me pongo el espejo en el regazo y lo miro fijamente–. Visión tenebrosa. Visión luminosa. Visión diurna. Visión nocturna. Norte, sur, este y oeste, que tu imagen surja ante mí.

El conjuro afirma que el rostro de la persona con la que he soñado empezará a aparecer de entre la negrura. Contemplo el espejo durante unos minutos, intentando proyectar formas y rasgos donde no hay nada. Examino cada centímetro, preguntándome si tal vez debería limpiar la negrura para ver el rostro que hay debajo.

Enjuago con el dedo un pequeño círculo de pintura húmeda del centro. Miro hacia abajo. Sigo sin ver nada. Empiezo a limpiar el negro con las palmas, llenándome completamente las manos y los brazos de pintura mientras trato de aclarar de nuevo el cristal.

Miro al espejo una vez más, pero la única cara que aparece es la mía. Y al parecer la única que no consigo apartar de mi *estúpida* cabeza es la de Chad.

La idea de no lograr que funcione el conjuro, de preocuparme pensando en Chad en un momento como este, hace que desee arrojar el espejo por la ventana, rompiendo otra vez el cristal. Por el contrario, en un último y patético esfuerzo de intentar ver algo, cojo la taza de té y estudio la masa informe del interior, la mezcla de banana y especias que descansa en el fondo junto con la bolsita de té, que ahora está tiznada con mi energía negativa y mi impaciencia. No obstante, espero unos instantes, como si la mezcla fuese a cambiar de algún modo para revelarme información, pero solo parece enturbiarse más.

Saco una toalla del montón de ropa sucia que hay en el suelo y me limpio la pintura de las manos y los brazos. Vuelvo a mirar las instrucciones, intentando discernir las palabras ocultas bajo los cuajarones de cera. Pero es inútil. Tardaré años en experimentar con diferentes ingredientes hasta desentrañar el conjuro, y quizá más tiempo aún en conseguir que funcione.

Tiro a la basura el contenido de la taza, vuelvo a arrojarme a la cama y me hago un ovillo bajo las mantas. Las lágrimas ruedan por mis mejillas, deslizándose hasta la almohada. No lo entiendo. Creía que la abuela estaba conmigo; creía que iba a ayudarme. Y ahora me siento más sola que nunca.

Me enjuago los ojos y contemplo mi anillo de amatista. Por mucho que odie admitirlo, sé exactamente lo que diría la abuela en este momento, lo que siempre decía de los conjuros que no funcionaban, que no es el conjuro el que falla a la bruja, sino la bruja al conjuro.

Cuando le pasaban estas cosas, procuraba volver al origen del conjuro, la razón de que lo llevase a cabo. Procuraba comprender por sí misma cuanto le era posible, recordándose, recordándome, que los conjuros nos ayudan a hacer o a averiguar lo que deseamos; no hacen el trabajo por nosotras.

Me tapo hasta la barbilla con las mantas, preguntándome si ya tengo todo lo que necesito para resolver el asunto. Si quizá no estaré pensando lo suficiente. O quizá estoy pensando demasiado. Echo un vistazo al reloj. Son un poco más de las cuatro; solo falta una hora para la cena. Tengo de todo menos hambre, pero sé que debo enfrentarme a todos ellos, averiguar si Drea ha dicho algo, decirle a Verónica que esta noche debemos elaborar un plan.

Y volver a ver a Chad.

VEINTITRÉS

Es la hora de cenar. Veo a Verónica junto a la mesa de los condimentos, dedicándose a extraer las rodajas de huevo de su ensalada. La saludo pero ella me ignora, como si la noche anterior en la cafetería, cuando se produjo la asombrosa transformación de Verónica la villana a Verónica la víctima, nunca hubiera existido.

Cojo un plato rebosante de la cena *du jour,* fricasé de pavo: dados perfectos de carne misteriosa ahogados en una cremosa salsa grisácea llena de grumos sobre una bola de arroz pegajoso. Incomible. La cambio por un sándwich de atún envuelto y me dirijo a la mesa de los condimentos. Verónica sigue allí, empeñada en separar todas las malignas porciones de yema de las hojas de lechuga. Se percata de mi presencia y se aleja un paso, como si hubiéramos vuelto a la escuela primaria y yo tuviera piojos.

–¿Por qué no te sientas con nosotras? –propongo–. Ya sabes, para que hablemos de lo de mañana.

–Me parece que no –responde, negando con sus uñas postizas rojas ante mi cara.

–¿Por qué? Ayer decidimos que íbamos a trazar un plan. Mañana es el día.

–Ah, eso. Supongo que al principio estaba asustada. Pero después de haberlo discutido con mis auténticas amigas, sé exactamente quién es el acosador.

–¿Ah sí?

–Piénsalo. Esto no es una película de terror, es una escuela preparatoria. Es evidente que se trata de alguien a quien no le caigo bien... –Se interrumpe cuando pasa Drea–. Alguien que probablemente tiene celos de mí, que no puede conservar a su hombre, está empeñada en asustarme. Pues no va a funcionar.

–No pensarás...

–Lo que pienso es que me parece bastante evidente quién es esa persona, teniendo en cuenta que, según parece, a ella también la están acosando.

–¿Crees que Drea se lo ha inventado?

–¿Qué otra cosa debo pensar? Ella me odia. Odia que hable con Chad. Se pone celosa cuando me acerco a él.

–Espera –protesto–. Esto no tiene absolutamente nada que ver con los celos de Drea por Chad.

–¿Estás bromeando? –Se acerca un paso hacia mí–. Tiene *todo* que ver con sus celos. Espera y verás. Un día, dentro de poco, Chad y yo estaremos juntos. ¿Qué hará Drea entonces?

–No sigas, Verónica; lo que dices es una locura. Sé que no es Drea. Sé que no se lo ha inventado.

–Tú eres su mejor amiga. ¿Por qué iba a creerte?

–Porque lo sé. Mira, vamos a ayudarte te guste o no.

–Reserva eso para las películas, Stacey. Es un poco demasiado dramático para mí. –Coge un puñado de servilletas del dispensador y sumerge una pajita en su té helado–. Ah, y cuando Drea esté lista para "venir a por mí", dile que estaré en el lado de los atletas. –Señala hacia el lado derecho del comedor y se encamina en esa dirección.

Miro hacia el lado izquierdo, donde acostumbro a sentarme. Drea, Amber y PJ ya están absortos en una conversación. Tendré que conseguir que Drea y Amber me ayuden a convencer a Verónica de que debemos colaborar. Aunque no me convencen del todo los detalles de su relato, no estoy dispuesta a desestimarlo como si se tratase de una invención. No me cabe duda de que es posible que ella también pueda hallarse en peligro. Además, creo que ayudándola podemos ayudar a Drea.

Cojo una pila de servilletas de cinco centímetros, pajitas extra por si alguien necesita alguna, y una amplia selección de condimentos que van desde la mostaza a la mermelada. Por lo menos seis personas se detienen ante la mesa de los condimentos mientras yo me quedo ante ella, disponiéndolo todo en pequeñas hileras ordenadas en la bandeja. Me pregunto de qué estarán hablando los tres y si seré bien recibida.

Pero lo más importante, me pregunto qué les habrá contado Drea de lo de esta mañana.

Me dirijo a la mesa, manteniendo las manos firmes aferrando fuertemente la bandeja.

—Hola, chicos —digo.

—Hey, Stace —responde PJ—. ¿Qué pasa?

—No mucho. —Aparco la bandeja junto a Amber y miro de reojo a Drea, que aparta la mirada.

—¿Por qué no coges una pajita extra? —comenta Amber.

—Pensé que a lo mejor las necesitabais —explico.

—Yo sí. —PJ agarra un puñado y empieza a soplarnos los envoltorios.

—¡Piérdete, PJ! —exclama Amber al tiempo que se quita un envoltorio del pelo.

—¿De qué estamos hablando? —pregunto.

Amber mira a Drea y capto un intercambio de risitas disimuladas.

—De poca cosa. Solo nos estábamos quejando del poco tiempo que tenemos entre las clases. Ya sabes, es difícil llegar de un edificio a otro en tan poco tiempo. —Amber ensarta el fricasé de pavo con los palillos–. Y de que están construyendo una recepción nueva al otro lado del bosque.

–Querrás decir que han dejado de construirla –tercia Drea.

–Oh sí, porque nuestro colegio es tan pobre que ni siquiera puede terminar lo que empieza.

–Es para preguntarse adónde va a parar tanto dinero –señalo, relajándome lo suficiente para abrir de la boca del cartón de leche y hasta beber un sorbo.

–¿Sabes? –comienza Amber–, el otro día tuve que ir desde O'Brian hasta el edificio Remington porque no había calefacción en la clase del señor Farcus y tuvimos que cambiar de aula.

–¿Llegaste tarde? –PJ añade un puñado de nachos a su sándwich de atún.

–¿Cómo no iba a llegar tarde? Son como ocho kilómetros.

–Bueno, no fue culpa tuya –afirmo–. Los profesores han de entender que es muy difícil, sobre todo cuando nieva. No sé cómo esperan que lleguemos en menos de cuatro minutos.

–¿Y qué haces cuando tienes que ir al baño? –prosigue Amber–. ¿Qué? ¿Es que tengo que mearme en los pantalones en medio de clase?

Mientras Amber y Drea intercambian risitas, intento decidir si las pajitas de plástico son una herramienta apropiada para sacarles los ojos.

–¿Sabes lo que nos hace falta? –añade Amber–. Uno de esos aseos portátiles, ya sabes, como los que hay en la feria. –Amber y Drea se ríen a carcajadas.

–¿Qué tiene tanta gracia? –pregunta PJ.

–Es una broma privada –explica Drea.

–Muy privada –añade Amber, dándome un codazo.

–¿No crees que ya es hora de que empecemos a compartir las partes privadas, Amber? –pregunta PJ.

–Mejor que no –responde Amber. Se vuelve, me rodea los hombros con los brazos y me planta un beso en la mejilla con sus relucientes labios de color verde mar–. Te quiero –dice.

–Hey, qué te parece si me pones un poco aquí. –PJ pone morritos con una masa de atún colgando del labio inferior.

–Besa esto –responde Amber, dándose una palmada en el culo.

–Será un placer –contesta PJ, dando un enorme mordisco a su sándwich.

–Me parece que acabo de perder el apetito. –Amber arroja los palillos.

–Yo también –digo.

Amber y yo nos miramos y no puedo evitar reírme; al principio es una risita nerviosa, pero después se convierte en una carcajada a mandíbula batiente que nos hace cosquillas en la barriga. Drea se aclara la garganta y se vuelve hacia el pasillo, lejos de la mesa.

–Drea –digo–. Tenemos que hablar, de verdad.

–Si tú lo dices –contesta.

–No, sí que tenemos. Sé que estás enfadada conmigo, pero tenemos que dejar eso a un lado por ahora y trazar un plan para ayudar a Verónica.

–Vamos, Dray –dice Amber, soplándole el envoltorio de una pajita a la oreja–. Relájate y juega a Buffy con nosotras esta noche. Me apetece cazar demonios.

–Drea –insisto–, ya te he dicho que anoche no pasó nada.

–Ya sé que no pasó nada –exclama Drea–. Tú no eres su tipo exactamente.

–¿Qué significa eso?

–Salíamos, ¿te acuerdas?

–Jo, eso es nuevo para mí –interviene PJ–. ¿Vosotras salíais?
–Señala primero a una y luego a la otra.

—No, estúpido —dice Amber, arrojándole un dado de pavo—. Chad y Drea.

—Ah.

Drea vuelve a girarse hacia la mesa.

—¿Por qué iba ir a por ti cuando me tiene a mí?

—Drea, será mejor que no vayamos por ahí —advierto—. Es evidente que sigues estando muy enfadada. —Miro a Amber para que me ayude, pero ella ha decidido mantenerse tan neutral como un queso suizo y está absorta intentando que los palillos se mantengan en pie en el viscoso montículo de fricasé de pavo.

—Piénsalo —prosigue Drea—. ¿Sale conmigo esporádicamente durante tres años y después decide cambiar de gustos por completo para ir a por ti? Esas cosas no pasan.

—No lo sé —sugiero—. A lo mejor piensa que eres una perra.

—Miau —maúlla PJ.

Más bien es un auténtico rugido. Odio hablarle de este modo. Odio que un chico se interponga entre nosotras. No merece la pena.

—¿Por qué no se lo preguntamos a él? —propone Drea—. ¡Hey, Chad! —Se endereza en el asiento y le indica que se acerque.

—Me alegro de ver que volvéis a hablaros —dice este, deteniéndose justo detrás de mí.

—¿Alguien quiere explicarme lo que está pasando, por favor? —PJ se masajea las sienes.

—Chad —empieza Drea—, Stacey quiere saber si crees que soy una perra. ¿Lo crees?

Siento que mis mejillas enrojecen con una ardiente combinación de ira y tristeza.

Chad me mira enarcando las cejas.

—¿Eso es lo que le has dicho?

—No.

–Me vuelvo a la habitación. –Drea se levanta de la mesa.

–No, Drea –insisto–. Sola no. Además, todavía tenemos que hablar. Tenemos que decidir lo de mañana. Es tanto por Verónica como por ti.

Drea se detiene un momento, tal vez sopesando la idea, contraponiendo el orgullo al sentido común. Sé que quiere ayudarnos a maquinar un plan. Pero también sé que está más herida y enfadada de lo que jamás la he visto.

–¿Verónica? –pregunta Chad.

–Es un proyecto de grupo –clarifica Amber.

Chad aún parece confuso, pero no hace preguntas.

–Vamos, Dray. –Me da una palmada en el hombro para darme ánimos y observo que los ojos de Drea hacen zoom sobre el gesto.

–"Vamos", ¿qué? Por mí te la puedes quedar, Chad. Pero te advierto que será mejor que tengas cuidado. Se mea en la cama.

Se me cae el alma a los pies, rompiéndose en un millón de pedazos. ¿Esto está pasando de verdad?

–*¡Drea!* –exclama Amber.

–¿Qué? Hace solo unos minutos era gracioso. –Drea mira a Chad–. Pregúntaselo.

PJ emite un jadeo, arrojando al aire el envoltorio de una pajita.

–Esto es ridículo –dice Chad–. Drea, no sé de qué estás hablando, pero déjalo. Escucha lo que estás diciendo.

–Pregúntaselo. Lo que me gustaría saber es si se meó en la cama antes o después de que te fueras esta mañana.

La mesa guarda silencio unos segundos, prácticamente como si estuviéramos haciendo un examen, mientras la pregunta flota sobre mi cabeza.

–¿De qué estás hablando? –dice Chad al fin. Mira a Drea y después a mí–. ¿De qué está hablando?

Pero ni siquiera puedo mirarlo. Solo puedo clavar la mirada en mi bandeja, esperando a que pase este momento, como si eso fuera posible.

–Gilipollas –le dice Amber a Drea defendiéndome–. No puedo creer que hayas dicho eso.

Yo tampoco puedo creerlo. La idea me transporta de nuevo en el tiempo hasta los abusones del patio de la escuela primaria. Me duele la mandíbula de rechinar fuertemente los dientes. No soporto quedarme aquí sentada más tiempo. Me levanto de la mesa y me alejo, dando las gracias por que nadie decida seguirme.

Veinticuatro

Chad tarda dos horas en dar conmigo en la biblioteca, y cuando al fin lo consigue estoy escondida en uno de los cubículos de estudio que hay al fondo del todo, pudriéndome mentalmente al inhalar los mohosos vapores de los volúmenes viejos y decrépitos.

—Supongo que he ganado a Amber. —Coge una silla del cubículo que hay detrás y se sienta.

—¿Amber?

—Ella también te está buscando.

—Ah —comento sin alzar la vista.

—Hemos buscado por todas partes —dice—. ¿Qué estás haciendo?

—Estudiar. —Le enseño la cubierta de mi libro de francés, en la que se ve a un grupo de adolescentes comiendo baguettes en un parque, pero sigo concentrada en el recuadro amarillo de gramática del centro de la página, mi punto focal—. Madame LeRonquido va a dejarme repetir el examen en el que me quedé dormida.

—¿Quieres que te lo pregunte?

—La verdad es que no.

—¿Puedes mirarme, por lo menos?

Pongo los ojos en blanco y consigo mirarle la mejilla.

—¿Vale?

—Solo intento ser tu amigo —afirma.

—Sí, bueno, ya he tenido bastantes amigos por hoy.

—¿Lo dices en serio? —pregunta.

No, Pero no se lo digo, por supuesto. Distraigo los dedos doblando las esquinas de las páginas del libro, esperando que mi silencio se lo diga en mi lugar.

—Mira —continúa—, no sé qué está pasando exactamente, pero si quieres hablar de ello estoy dispuesto a escucharte.

Dudo que alguna vez quiera discutir con Chad que mojo la cama, pero le agradezco la oferta.

—Debo de parecerte una especie de bicho raro —digo.

—En realidad, me pareces genial.

—¿Por qué?

—*¿Por qué?*

Asiento, asqueándome mentalmente ante lo patética que parezco. Es que no puedo dejar de pensar en lo que dijo Drea, que ella y yo somos completamente distintas. Que por qué iba Chad a sentirse atraído por alguien como yo después de haber salido con alguien como ella, por no hablar del mortificante secretito que acaba de contarle a todo el mundo sobre mí.

—Porque no eres como las demás chicas.

Un eufemismo. Me parece que detecta mi sobresalto, porque aventura una mano en mi antebrazo.

—Eres más auténtica —continúa—. Es difícil explicarlo, pero cuando estoy contigo siento que no tengo que ser alguien que no soy. Puedo ser yo mismo. —Me sonríe y me aprieta el brazo, como si no hubiera cambiado nada. De modo que quizá no haya cambiado. El momento está embargado de una dulzura incómoda, como si uno de nosotros tuviera que decir algo para romperlo. Entonces interviene Amber.

—Momento Kodak —canturrea. Nos saca una foto con una cámara imaginaria.

–¿De dónde has salido? –digo, apartando el brazo del contacto de Chad.

–¿Estás de coña? He estado en todas partes. –Se enjuaga un invisible chorro de sudor de la frente–. No se me había ocurrido buscar en la biblioteca. ¿Has estado aquí todo este tiempo? Me sorprende que no se te haya puesto la piel amarilla. ¿Ves lo que te pasa por estudiar? Te desconecta de la civilización. –Señala mis malignos libros.

–Me sienta bien apartarme un poco de la civilización esta noche.

–Ni hablar –afirma–. Tenemos asuntos importantes que atender.

–Me parece que pillo la indirecta –dice Chad. Se vuelve hacia mí–. Luego hablamos.

Asiento, deseando a medias que se quede, pero sabiendo que no puede hacerlo. Drea, Amber y yo hemos de trazar un plan para mañana.

–Hasta luego –dice Amber, despidiéndose bailando el *hula-hop*. Y en cuanto Chad dobla la esquina me aprieta el brazo–. Cuenta.

–¿Qué? –respondo, sonriendo–. Nada.

–Estabais demasiado cariñosos para que no fuera nada. Cuenta.

–Debería estar muy enfadada contigo –digo.

–Ah sí –admite–. Por lo de la broma. Mira, lo siento, ¿vale? No pasa todos los días que una de tus mejores amigas se mee en los pantalones cuando se acuesta con el tío que le gusta. Es para partirse. Dime que tú no lo harías.

–No me estoy acostando con él.

–Si tú lo dices. No es exactamente un halago, Stace. Con unos cuantos gemidos habría bastado.

–No sabes de lo que estás hablando.

–Hey, no te esfuerces. En realidad tendría que darte un premio al valor. Creo que yo me largaría a Siberia si me pasara eso. Tú solo has venido a la biblioteca.

–Gracias –digo, desistiendo de darle una explicación por el momento.

–Así que ¿estamos en paz?

–Supongo que sí –accedo.

Amber me abraza como si fuera su muñeca favorita y después me aparta.

–Y ¿qué es eso del pis?

–Me pasa desde que tengo las pesadillas.

–Qué raro.

–Créeme, no me enorgullezco demasiado.

–¿Has ido a ver a un médico?

–Es demasiado humillante. Pero me he metido en internet. Supongo que es bastante común si tienes la vejiga pequeña.

–¿Tú la tienes?

–No. Lo que me hace pensar que, de algún modo enfermizo y retorcido, el hecho de que me haga pis en la cama es la forma que tiene mi cuerpo de decirme algo.

–¿Y qué está intentando decirte?

–Sé lo mismo que tú.

–Qué asco. –Se da una bofetada en la mano y cruza las piernas.

–Ya lo sé.

* * *

Salimos de la biblioteca y nos dirigimos a la residencia para reunirnos con Drea, la última persona en la Tierra a la que deseo ver, mucho menos trabajar con ella. No pasa todos los días que tu mejor amiga te haga sentir como si fueras uno de esos personajes raros salido de una novela de Stephen King. Stacey Brown, estudiante de día, psíquica incontinente de noche. Por supuesto, supongo que tampoco pasa todos los días que una encuentre a su mejor amiga en la cama con su ex. Me recuerdo esta última parte durante todo el trayecto hasta el vestíbulo, el pasillo y la habitación.

Drea está arrellanada en su cama, apoyando una barrita de chocolate en su labio inferior con una mano y escribiendo en su diario con la otra. Da un mordisco y rumia una idea, anotando las últimas palabras, tratando de comportarse como si yo no fuera lo bastante importante para sobresaltarla.

Al verla tan tranquila me dan ganas de arrancarle el bolígrafo de la mano y garabatearle toda la cara. Aprieto los dientes, escuchando su voz repitiendo una y otra vez en mi cabeza: *Stacey se mea en la cama. Stacey se mea en la cama. Stacey se mea en la cama.*

—Hola, Amber —dice sin alzar la mirada.

—Hey. —Amber me aparta de un empujón. Se deja caer en mi cama y hace una pausa—. *Habrás* cambiado las sábanas, ¿no?

Será perra.

—¿Cómo vamos a trazar un plan si no ha venido Verónica? —pregunta Amber.

—Ya la he llamado —anuncia Drea—. No va a venir.

—*¿Cómo que no va a venir?* —repite Amber.

—Quiere que la dejemos en paz. La verdad es que cree que yo soy la que está detrás de toda esta historia del acosador.

—Una no cambia de opinión así como así —comenta Amber.

—Se llama ser mujer —explica Drea—. Tenemos esa prerrogativa.

—Tenemos que ir a buscarla —finalmente intervengo—. Tenemos que convencerla.

VEINTICINCO

Verónica se digna a abrirnos la puerta después de haber llamado y esperado unos minutos.

–¿Es que no pilláis las indirectas? –pregunta con los dientes apretados.

–La verdad es que no, presumida –responde Amber, abriéndose paso a empujones hasta la habitación.

–¿Perdona? –dice Verónica.

–No te molestes. –Amber se acomoda en un asiento de color fucsia relleno de bolitas–. ¿A que es monísimo?

La habitación de Verónica rezuma tonos rosáceos que le confieren el aire del dormitorio de la casa de ensueño de Barbie.

–Ya os lo he dicho –protesta Verónica–. Ya soy demasiado mayor para jugar a Nancy Drew[10].

–A la porra Nancy Drew –exclama Amber, asomándose al telescopio de color magenta situado junto a la ventana–. Yo quiero ser un ángel de Charlie.

–Pues te has equivocado de sitio. –Verónica mantiene una mano en la puerta, esperando a que nos vayamos.

–Mira, Verónica –empieza Drea–, a mí esto tampoco me parece exactamente divertido, pero tenemos que ayudarnos la una a la otra. Tú misma lo dijiste.

---

(10) N. del T.: protagonista de una popular serie de novelas de misterio norteamericana.

–Bueno, he dicho muchas estupideces en mi vida.

–No me cabe duda –dice Amber.

Verónica cierra la puerta de un portazo.

–Ya os lo he dicho. Ya no quiero tener nada que ver con esto.

–Mira, Verónica –digo–, ya sé que has dicho que crees que todo esto es una especie de broma pesada, pero ¿y si no lo es? ¿No crees que deberías tomar todas las precauciones posibles? Ese tipo dijo que vendría a por ti mañana.

Pero Verónica no contesta. Se limitarse a quedarse allí plantada, superrígida, mirando al techo.

–Espera –interrumpe Drea–. ¿Qué es eso? –Se adelanta un par de pasos hacia el tocador de Verónica con la vista clavada en un trozo de tela blanca que sobresale del joyero.

–¿Qué? –pregunta Verónica.

Drea sujeta el recorte ribeteado entre los dedos.

–Este es mi pañuelo. –Tira de la tela, sacando otros dos centímetros y medio, revelando la D bordada de sus iniciales–. ¿Qué hace aquí? –Drea intenta levantar la tapa, pero la caja está cerrada con llave.

–¿Qué crees tú que hace aquí? –Verónica se quita el collar del que cuelga la llave para abrir la caja–. Me lo diste tú. Lo metiste en mi buzón. –Agita el pañuelo ante las narices de Drea.

–¿Por qué iba a hacer eso? –Drea se lo arrebata de la mano y repasa con los dedos las iniciales bordadas, *D.O.E.S.*

–Espera –intervengo, cogiendo el pañuelo–. Es el que se mezcló con la ropa sucia cuando fui a hacer la colada, cuando me lo robaron todo.

–¿Te robaron la colada? –pregunta Drea.

–Sí. Por cierto, el acosador tiene tu sujetador rosa.

–Gracias por la imagen –musita Amber.

—La cosa, Verónica, es que el que me robó la colada es el que te dio el pañuelo –explico–. Además, si fuese Drea, ¿por qué iba a meter sus cosas en tu buzón? Eso solo la delataría.

—Si te digo la verdad –admite Verónica–, no tengo ni idea de qué lógica tiene. Pero no quiero involucrarme.

Drea recupera el pañuelo y acaricia la tela con la palma de la mano.

—Me lo regaló mi madre cuando cumplí diez años. Jamás me desharía de él.

—¿Por qué iba a creer nada de que lo diga cualquiera de vosotras?

—Porque te guste o no, Verónica, es probable que pase algo mañana –respondo.

—Pasará esta noche, si no me dejáis en paz. –Verónica le arranca el pañuelo a Drea de las manos.

—¡Devuélvemelo ahora mismo! –Drea se dispone a quitárselo, pero Verónica es demasiado rápida y vuelve a guardar el pañuelo en el joyero. –No pienso marcharme sin él –insiste Drea.

—Sí que lo harás. –Verónica entrecierra los ojos–. Porque lo único que he de hacer es enseñárselo a la policía del campus junto con todas las cartas que me has enviado para que te echen del colegio.

—¿Podemos ver las cartas? –pregunto–. Para compararlas con las de Drea.

—Podéis ver la puerta –replica Verónica.

—No nos delatarás a la policía del campus, ¿verdad? –dice Drea.

Verónica da un paso hacia delante, plantándose ante las narices de Drea.

—Será mejor que dejes de acosarme, Drea Olivia Eleanor Sutton, o lo *haré*.

VEINTISÉIS

A pesar de los deseos de Verónica, Drea, Amber y yo no estamos dispuestas a correr ningún riesgo. Decidimos que mañana al menos una de nosotras debe estar con ella en todo momento. Drea la acompañará durante las tres primeras clases de la jornada, Amber y yo la veremos en la cuarta y la quinta, y después estaremos Ronnie y yo solas durante las dos horas de teatro hasta que suene el timbre.

Después de clase es un poco más difícil. Terminamos por seguirla hasta El Ahorcado, donde ella se sienta con Donna ante su mesa acostumbrada, sorbiendo sendos espressos dobles y haciendo los deberes.

–Qué patético es esto. –Amber bebe un sorbo gigantesco de moka con leche, plantándose un bigote de espuma sobre el labio–. Sabe lo que estamos haciendo. No venimos nunca.

–¿A quién le importa? –Parto un trozo de bollo y me lo meto en la boca–. Por lo menos estamos haciendo lo correcto. –Miro a Drea, que se ha apartado de mí–. Dray, ¿quieres un poco?

–No. –Coge una servilleta y se pone a hacerla pedazos.

–¿No podemos dejar esto atrás? –pregunto–. ¿Al menos de momento? Como si no me hubieras humillado completamente en el comedor.

–He venido por el bien de Verónica y por el mío –declara–. Eso es todo.

–Bueno, yo también he venido por tu bien, por si lo habías olvidado. –Echo un vistazo a la mesa de Verónica. Están recogiendo y poniéndose la chaqueta.

–Se marchan –observa Amber.

–Pues nosotras también.

Seguimos a Verónica hasta la hora de la cena, nos sentamos en la biblioteca durante las dos horas que dura su grupo de estudio y después volvemos a seguirla hasta su habitación, donde nos sentamos fuera en el pasillo.

–No puedo creer que estemos haciendo esto –comenta Drea, apartándose un bucle despeinado de la cara.

–La verdad es que una de nosotras debería estar ahí dentro con ella. –Recorro el pasillo de un lado a otro, siendo el blanco de miradas extrañas por parte de las chicas del piso.

–Nunca nos dejará pasar –señala Drea–. Probablemente estamos perdiendo el tiempo y esto sea una terrible broma. No tiene sentido que alguien haya metido *mi* pañuelo en *su* buzón.

Progreso. Me está hablando de verdad.

–A lo mejor está mintiendo –sugiere Amber.

–Yo voto por eso –digo–. No me cabe duda de que está mintiendo sobre algo.

–¿Qué hora es? –gime Amber–. Esto es una tortura.

–Solo nos quedan un par de horas hasta la medianoche –respondo, mirando mi reloj.

–Antes me muero –tercia Drea.

–Qué expresión tan interesante. –Amber se dirige a la puerta de Verónica y llama–. Tengo que papear.

–¿Estás de coña? –dice Drea–. Hará que nos arresten.

–Merece la pena. Necesito picar algo.

Verónica se presenta ante la puerta vestida como si su dormitorio hubiera expelido una versión de sí mismo, con un jersey de cuello de cisne rosa chillón y una falda corta de lana con cuadros rosas.

–Ya me habían dicho que estabais aquí fuera.

–¿Quién te lo había dicho? –pregunta Amber.

–Las chicas del piso.

–¿No está contigo tu compañera de cuarto, Verónica? –Observo el dormitorio a sus espaldas.

–No es asunto tuyo, pero Donna tenía una cita esta noche. ¿Vosotras sabéis lo que es una cita?

–Qué buena amiga –comenta Amber–. ¿Ni siquiera podía haber esperado hasta mañana? No te van a liquidar mañana.

–Para tu información, yo también voy a salir.

–¿Qué? –Drea se pone de pie–. ¡No puedes salir!

–No sin nosotras, en todo caso. –Amber le pone las manos en las caderasa Verónica para cerrarle el paso.

–Vosotras no controláis mi vida. Será mejor que os hayáis ido cuando esté lista para marcharme o llamaré a la policía del campus. –Acompaña su ingratitud con un portazo.

–Nos hemos olvidado de pedirle el papeo –gime Amber–. Voy a ir corriendo a las máquinas de chucherías. ¿Queréis algo, chicas?

Drea y yo negamos con la cabeza y Amber parte pasillo abajo con las zarpas del osito de peluche de su mochila rebotando contra sus hombros y sus caderas.

Y ahora solo quedamos Drea y yo. Solas.

Transcurren unos incómodos minutos. Continúo recorriendo el piso, anticipando el regreso de Amber. Hasta calculo mentalmente la duración del trayecto. Dos minutos para llegar al vestíbulo, tres para elegir las chucherías y otros dos para subir las escaleras.

Pero, afortunadamente, Drea rompe el doloroso silencio.

–No creerás realmente que Verónica va a delatarnos a la policía del campus, ¿verdad? Podría echarme la culpa de todo esto, ¿no?

–¿Por un pañuelo? Por favor. Me parece que hasta el hecho de tenerlo, hace que parezca culpable. Amber y yo somos tus testigos. Sabemos que no eres tú. Además, sí que copió en el examen de francés y sabe que nosotras lo sabemos. Eso es motivo de expulsión.

Drea asiente para tranquilizarse.

Me siento aliviada de que vuelva a dirigirme la palabra, a pesar de la situación.

–¿Cómo crees que sabía tu nombre completo?

Deja de morderse las uñas para sopesar seriamente la pregunta.

–No lo sé. Pero pensándolo bien, ni siquiera sé cómo puede pensar que soy yo. Si quisiera hacerle daño no estaría siguiéndola todo el día para asegurarme de que no le pase nada.

Muy cierto.

–¿De veras crees que va a salir? –pregunto.

–Ya no sé qué creer de Verónica –dice.

Pasamos los siguientes minutos caminando de un lado a otro, adelantándonos la una a la otra y memorizando los motivos de la alfombra gris moteada, de esas que parece que no se manchan nunca; contemplando los bultos del techo, que parecen palomitas, esperando a que se abra la puerta y Amber regrese.

Drea mira su reloj.

–Ha pasado una hora. ¿Dónde demonios está Amber?

–A lo mejor una de nosotras debería comprobarlo. –Pero en cuanto las palabras salen de mi boca, Amber atraviesa a la carrera la puerta del pasillo con ositos de gominola y patatas con sal y vinagre en la mano–. ¿Por qué has tardado tanto? –pregunto.

–No podía decidirme. Después, cuando me decidí, no tenía dinero. Así que tuve que volver corriendo a mi habitación a juntar monedas de todas las chaquetas del armario, y entonces me llamó mi padre y tuve que hablar con él... ¿Quieres una gominola?

–No, gracias –digo, apartándome de ella.

Amber aprieta la oreja contra la puerta de Verónica al tiempo que se mete un puñado de patatas en la boca.

–¿Qué me he perdido?

–Nada –dice Drea–. Ni siquiera ha intentado salir.

–Esto parece una iglesia –comenta Amber.

–A lo mejor está durmiendo –sugiere Drea.

Cierro los ojos y me concentro en los tonos rosados de la habitación. Intento visualizar a Verónica entre ellos, peinándose, arrellanada en la cama o viendo la televisión. Sostengo el cristal devic que me rodea el cuello y froto la punta en busca de inspiración, intentando que la imagen cobre vida dentro de mi cabeza. Pero no lo consigo.

–Stacey, ¿por qué parece que acabas de tragarte un gusano? –pregunta Amber.

–Me parece que no está ahí dentro.

–Claro que está ahí dentro. –Drea aprieta la oreja contra la puerta y llama.

Nada.

Nos mira a Amber y a mí, entreabriendo los labios con un estremecimiento.

–A lo mejor se ha quedado dormida con el *walkman* puesto –dice Amber.

–O a lo mejor no está ahí dentro –repito.

–Solo hay una forma de descubrirlo –dice Drea–. Puedo forzar la cerradura.

–¿Sabes cómo se hace? –pregunto.

–¿Desde cuándo? –Amber hace una pausa a medio masticar.

Drea extrae el carné de identidad del campus de su funda de plástico, lo introduce en la rendija de la puerta y lo sacude de un lado a otro.

–¿Qué creéis que estáis haciendo? –dice una voz a nuestras espaldas.

Nos volvemos para encontrar a Becky Allston, el prodigio de la clase en persona, plantada justo detrás de nosotras. Frunce los labios y arquea el cuello hacia delante para ver lo que estamos haciendo.

–Ah, no pasa nada –responde Amber–. Me he dejado la llave dentro. Una amiga me está ayudando a entrar.

Drea finge una sonrisa y se incorpora frente al picaporte, como si eso marcase alguna diferencia.

–Esa no es tu habitación –replica Becky.

Una chica lista.

–Me he mudado hoy mismo –explica Amber–. ¿Es que no vas a darme la bienvenida a vuestro piso? –Amber le alarga la bolsa de patatas a Becky a modo de ofrenda.

–No, pero voy a llamar a la policía del campus.

–Adelante –dice Amber, retirando bruscamente las patatas–. Te dirán que es cierto.

Becky gira sobre los talones, retrocede un paso hasta su habitación y da un portazo.

–Mierda –masculla Amber, masticando–. Tenemos que pirarnos. De todas formas ya son más de las once.

–¡No! –Drea se vuelve para seguir manipulando la cerradura. Gira la muñeca hacia delante y hacia atrás, metiendo más el carné–. Casi lo tengo. –*Clic.* Drea sonríe–. Ya estamos dentro.

Empujamos la puerta y es exactamente lo que esperaba. Verónica se ha ido. Pero ha dejado dos maletas rosas en medio del suelo.

–No me digas que ha salido por la ventana –dice Drea–. Si son tres pisos.

–Es muy factible con una escalera de incendios –observa Amber, cerrando la puerta con llave–. Confía en mí.

–¿Qué pasa con las maletas? –pregunto, examinándolas, levantando las asas para comprobar que pesan mucho.

–A lo mejor planea irse a casa hasta que acabe todo esto –sugiere Drea.

–Entonces ¿por qué iba a decirnos que cree que todo es una farsa?

–Aquí pasa algo chungo –comenta Amber.

Buscamos alrededor algún indicio de dónde puede haber ido, pero su agenda está vacía y sus libros siguen apilados encima del escritorio.

–Podría haber ido a cualquier parte –dice Drea, intentando abrir el joyero con la punta de un bolígrafo.

–Una horquilla funciona mejor –interviene Amber, sacándose una de detrás de la oreja–. No eres la única que posee talentos ocultos.

Busco en la mesita de noche de Verónica, revolviendo entre notas adhesivas de color rosa fluorescente, bolas de pañuelos de papel rosas y envoltorios de Starburst de fresa. Todo parece normal, lo que me hace presentir que estamos perdiendo el tiempo, que deberíamos estar buscándola fuera en lugar de indagar en la nada.

–Hey, chicas, mirad esto. –Drea ha conseguido abrir el joyero. Pañuelo en mano, saca una nota escrita con las mismas letras de molde rojas que el resto de notas: OCÚPATE DE TUS ASUNTOS. –¿Qué significa esto? –pregunta.

–Podría significar dos cosas –digo–. O bien alguien se la mandó a Verónica a modo de advertencia, quizá porque sabía que estabais comparando las notas del acosador, o bien Verónica la escribió ella misma y la estaba reservando.

–Eso no tiene sentido –observa Amber–. Ella no habría reservado su propia nota. Sencillamente la habría entregado.

–A menos que alguien la interrumpiera y tuviera que ocultarla a toda prisa –sugiere Drea.

–No lo sé –digo–. Pero si alguien se la ha enviado, tenemos que encontrarla... rápido.

Amber toma asiento ante la mesa del ordenador de Verónica mientras yo me abro paso en su papelera, arrojando al suelo al menos una docena de bolas de papel. Las aliso todas contra mi pecho, intentando encontrar alguna pista de dónde puede haber ido.

–Hey, *chicas*[11], echadle un vistazo a esto. –Amber se ha metido en el email de Verónica–. Hay un mensaje de Chad.

Drea y yo nos unimos a Amber frente al ordenador.

–¿Por qué iba Chad a enviarle un email a Verónica? –Drea aprieta la mandíbula.

–A lo mejor quiere desearle buenas noches antes de acostarse. –Amber sonríe en la dirección de Drea.

Leemos el mensaje en silencio.

«*Querida Verónica:*» empieza.

«*Ayer, después de clase, estaba en el aula de Madame Lenore y me di cuenta de que había un montón de chuletas en el pupitre donde te sientas. Estoy convencido de que es tu letra. Estaba intentando hacerte un favor deshaciéndome de ellas, pero cuando las cogí ella volvió a entrar en la clase. No quería que me pillara con las chuletas en la mano, así que las escondí en el sitio más cercano, junto a la repisa de la pizarra. Sé que Madame llega a primera hora de la mañana. Si*

---

(11) N. del T.: en español en el original.

fuese tú, las cogería esta misma noche. La ventana del aula 104 tiene siempre una rendija abierta. Buena suerte. Chad.»

–¿Por qué iba Chad a querer ayudarla? –pregunta Drea.

–No lo sé –confieso–. Pero apuesto a que ella está ahí. –Toco el cristal devic y cierro los ojos. Puedo visualizarla recorriendo el corredor principal mientras sus talones resuenan contra el suelo de linóleo verde y blanco–. Vamos.

–Espera –dice Drea–. No tiene sentido. No hay ninguna ventana abierta en la 104.

–Sí que la hay –replica Amber–. La policía del campus no la cierra nunca.

–¿Cómo *lo* sabes?

–Salía con los policías del campus, ¿recuerdas?

–No tenemos tiempo para esto –digo–. Está ahí. Vamos.

* * *

Dejamos la habitación hecha un desastre, salimos pitando por la puerta y atravesamos el embarrado campo de fútbol sumidas en una oscuridad casi completa. No hablamos entre nosotras, de modo que no tengo ni idea de lo que están pensando. Solo sé que tengo una sensación de miedo en el corazón y ganas de vomitar.

El aula 104 del edificio O'Brian está justo delante de nosotras. La ventana está abierta una rendija, tal como afirmaban el email de Chad y Amber.

–¿Por qué no habremos traído una linterna? –pregunta Drea.

–Yo tengo una. –Amber saca una mini linterna de su mochila y me la entrega–. Nunca salgo de casa sin ella.

Dirijo la luz hacia la clase, pero por lo que alcanzo a ver (pizarras, hileras de pupitres, libros debajo de los asientos), nada parece fuera de lo normal.

—Vamos a tener que entrar —digo.

—Me niego a entrar ahí —exclama Drea.

—¿Por qué? —pregunta Amber.

—*¿Por qué? ¿Estás loca?* ¿Cómo sé que esto no es un truco? ¿Cómo sé que no estáis metidas en esto?

—¿De qué estás hablando? —pregunto.

Ella niega con la cabeza y aprieta los labios formando una pequeña ranura tirante.

—Drea —insisto—, tienes que venir. No vamos a dejarte sola aquí fuera.

Ella sigue negando con la cabeza, aspirando y espirando enormes bocanadas, sin mirarnos a ninguna de las dos.

—¿Drea?

Parpadea bruscamente varias veces, como si no pudiera enfocar. Su respiración se acelera y se hace más urgente. Se aferra la garganta y empieza a hiperventilar.

—No puedo respirar —resopla. Empieza a bambolearse hacia delante y hacia atrás. Se tambalea—. No puedo... —Pero antes de que yo tenga ocasión de intentar sujetarla, se desploma como una vieja caja de cartón.

Me pongo en cuclillas junto a ella.

—Amber, ¿tienes el teléfono móvil? —Tiro de la mochila que está apoyada junto a los tobillos de Amber, pero ella me la arrebata de nuevo—. Amber, tenemos que llamar a la policía del campus.

—No debemos estar aquí fuera. Se pondrá bien. Ya le ha pasado esto antes. Dale un minuto. —Amber se arrodilla y le pone la mano en la frente como si le estuviese tomando la temperatura.

—Amber, que no tiene fiebre. ¡Dame el teléfono ahora mismo!

Amber accede al fin y me lo lanza. Intento marcar, pero no pasa nada. Miro la pantalla del teléfono.

–No tiene batería. Tienes que ir a buscar ayuda. Yo me quedo aquí.

Amber mira a Drea, que jadea en busca de aire; tiene los labios secos y pálidos y le aletean los párpados. Se levanta y sale corriendo hacia la carretera del campus.

Apoyo la cabeza de Drea en mi regazo, preguntándome si debería intentar hacerle la reanimación cardiopulmonar.

–La ayuda está al llegar, Drea. Aguanta.

Drea intenta resoplar algunas palabras, pero no son claras.

–Shh... No intentes hablar. –Le enjuago las gotitas de sudor de la frente y advierto que está fría y que además está temblando. Vuelvo la vista atrás en dirección a la carretera. Donovan está corriendo hacia mí. Amber lo sigue de cerca, y después Chad.

–¿Qué ha pasado? –Donovan arroja al suelo una libreta de dibujo de espiral, se quita el abrigo y lo introduce bajo la cabeza de Drea.

–Amber, ¿no has encontrado a la policía del campus?

–Encontré primero a Donovan.

–¿Qué ha pasado? –repite este.

–No lo sé. Se ha puesto a hiperventilar.

–Iré a buscar ayuda. –Chad se vuelve hacia la carretera.

Donovan tiene una expresión urgente en la cara sudorosa. Le desabrocha el cuello de la blusa y le pone la mano en el corazón.

–Vamos, Drea –dice–. Intenta controlar tu respiración. No tengas miedo. Aspira y luego espira.

Noto que Drea lo está escuchando, que confía en la seguridad que transmite su voz para serenarse.

–Sigues metiendo demasiado aire en los pulmones. –Donovan alarga la mano para sostenerle la palma sudorosa–. Imagina que respiras a través del pecho, aspira y espira. No tengas miedo. Mientras sigas respirando no te pasará nada.

Donovan tarda unos minutos en calmar la respiración de Drea. Se quita el jersey, quedándose solo con una fina camiseta, y la tapa con él.

—Está bien —susurra, acariciándole el pelo hacia atrás—. No te va a pasar nada. Pero no intentes hablar.

—La ambulancia está por llegar. —Chad corre hacia nosotros con un agente de la policía del campus.

—Ya se encuentra mucho mejor. —Donovan le mete un brazo bajo el cuello y el otro bajo la curva de la espalda para ayudarla a sentarse—. Ha sufrido un ataque de pánico. A mí también me pasaba.

—Ha tenido suerte de que estuvieras aquí para ayudarla —observa el agente.

—¿Qué estabas haciendo aquí, de todas formas? —pregunto.

—Estaba dibujando. —Donovan alza la vista al cielo—. ¿Cuándo fue la última vez que visteis un cielo como el de esta noche?

Miro hacia arriba, reparando en la formación de las estrellas y el aspecto de la luna creciente, a la que todavía restan varios días para el primer cuarto, recortándose contra el cielo negro como la tinta.

—La mejor vista está en los bancos del patio, que dan hacia el norte —continúa Donovan—. No hay edificios en medio. —Se vuelve hacia Chad—. ¿De dónde has salido tú?

—Estaba dando un paseo por el campus. Os vi corriendo y pensé que a lo mejor había pasado algo malo.

—Normalmente os pondría una falta a todos por haber salido después del toque de queda —anuncia el agente—, pero teniéndolo todo en cuenta, me parece que puedo dejar que un héroe y sus amigos se salgan con la suya.

Ni siquiera estoy segura de que Donovan lo oiga. Está completamente embebido en Drea, asegurándose de que respire a un ritmo normal, de que tenga el pelo apartado de la cara y de que no se ensucie las manos con el suelo.

–Ha llegado la ambulancia –digo.

–Te pondrás bien, Drea. –Donovan sonríe y le acaricia la espalda.

–No te vayas, Donovan... por favor. –Le rodea el brazo con las manos, como si esto fuera un puerto y él se quedara en la orilla mientras ella parte hacia el mar. Un par de enfermeros se le acercan con una camilla, pero ella se niega a mirarlos hasta que Donovan le promete que se quedará con ella.

Y de repente ya no sé si esto es real o si me han absorbido en un episodio de *The Young and the Breathless*[12].

Los enfermeros nos obligan a todos a hacernos a un lado. Donovan retrocede pero continúa aferrando la mano de Drea cuando la tienden en la camilla.

–Creo que nosotras también deberíamos ir en la ambulancia –dice Amber.

La acompaño a la ambulancia, como si fuese a unirme a todos ellos, sin quitarle la vista de encima al agente, que está entrando en el coche patrulla.

–No –susurro–. Ve tú. Una de nosotras debería estar con ella. Yo tengo que quedarme aquí a echar un vistazo.

–¿Estás loca? –susurra Amber–. Sola no.

Miro a Chad, que está detrás de la ambulancia, contemplando a Drea desde fuera.

–No estoy sola.

Amber lo mira.

–¿Estás segura?

Asiento, aunque no lo estoy.

---

12 N. del T.: literalmente, «los jóvenes sin aliento», un juego de palabras basado en el título de la telenovela *The Young and the Restless*.

–Será mejor que te vayas.

Amber se demora un momento antes de subir a la ambulancia para unirse a Drea y Donovan.

Veo cómo se marchan todos. Todos excepto Chad, que ahora está a mi lado.

Veintisiete

Después de que la ambulancia se haya alejado a toda prisa, me doy cuenta de que Amber se ha dejado la mochila del osito de peluche. La recojo junto con el teléfono móvil sin batería y la libreta de dibujo de Donovan, y meto ambas cosas en la barriga del osito, que ya está repleta de chucherías de la máquina.

–¿Por qué no has acompañado a Drea? –pregunta Chad.

–¿Por qué no la has acompañado tú? –replico–. Es prácticamente medianoche, ¿qué estás haciendo aquí?

–Te estaba buscando. He ido a tu habitación. He ido a El Ahorcado. A la biblioteca...

–Esas cosas cierran a las once.

–Sí, pero pensé que a lo mejor os estabais tomando vuestro tiempo para regresar. ¿Qué tiene de malo?

Estudio su rostro durante un segundo prolongado, intentando descifrar la verdad, preguntándome si debería mencionarle el email que le ha mandado a Verónica, que es la verdadera razón de que hayamos venido.

–Olvídalo –digo al fin. Recojo la linterna de Amber y me dirijo a la ventana.

–¿Qué estás haciendo?

–Eres un tipo listo; adivínalo. –Abro poco a poco la ventana hasta que consigo impulsarme hasta la repisa sobre el vientre y arrastrarme al otro lado hasta el suelo del aula, produciendo un ruido sordo con los pies al aterrizar.

Chad me sigue.

Dejo atrás una hilera de pupitres, valiéndome de la linterna para orientarme. Alumbro todos los rincones de la sala en busca de cualquier cosa que parezca impropia de un aula. Pero aparte de que está a oscuras y obviamente desierta, es como cualquier otra aula en la que me haya sentado: innecesariamente opresiva y completamente estancada.

—¿Qué estamos haciendo? —susurra Chad.

Lo hago callar con un dedo y me acerco a la cabecera del aula. Los apuntes de la clase de trigonometría de hoy, algo sobre la l de la m, están esparcidos por la pizarra y alguien ha dejado sus libros de biología en el cesto que hay bajo la silla. El haz de la linterna ilumina el interruptor situado junto a la puerta. Pero no quiero encender la luz por si la policía del campus continúa merodeando.

Me dirijo a la puerta y aferro el picaporte, sintiendo que una fría oleada de sangre abandona mi rostro. Abro bruscamente la puerta, que se estrella contra la pared, derribando la papelera. Mi corazón se lanza hacia el vientre y sube hasta la garganta antes de volver a encajar en su sitio.

Chad recoge la papelera y me mira. La oscuridad desdibuja sus facciones.

—¿Estás bien? —Me pone la mano en el antebrazo. Entonces la realidad se impone de verdad, recordándome dónde estoy y lo que estoy haciendo. Retiro el brazo y me adentro en el tablero de ajedrez verde y blanco del suelo para dirigirme a la clase de francés de Madame Lenore.

El haz de la linterna ilumina un trecho de unos tres metros delante de mí. El resto está oscuro. Grito el nombre de Verónica un par de veces. Mi voz reverbera en las paredes. Lo cierto es que me gustaría que se hallase aquí, que me estuviera esperando, aunque me estuviera jugando una mala pasada, no me importaría, de verdad, porque ahora mismo, incluso con Chad, me siento completamente sola.

Me concentro en la señal roja que indica la salida al final del pasillo, justo a la izquierda de la clase de francés. La idea de salir disparada de este sitio me impulsa a seguir avanzando por el pasillo, alejándome más de Chad, si es que todavía me está siguiendo.

Cuando el haz de la linterna se acerca lo necesario para iluminar la puerta de salida, me detengo con los ojos clavados en las manillas. No puede ser cierto. No puede ser real. Pero lo es. Parpadeo al menos una docena de veces, pero sigue siéndolo. Hay una gruesa cadena metálica entrelazada alrededor de las dos manillas. Si quiero salir tendré que retroceder.

Me quedo quieta un instante, intentando decidir si esto merece la pena realmente. A lo mejor, sencillamente debería olvidarlo. A lo mejor podría decirles a Drea y Amber que lo he comprobado todo y que no he visto a Verónica por ninguna parte, y simplemente darme la vuelta y marcharme.

Pero es demasiado tarde para eso.

Paso junto a la vitrina de trofeos de Hillcrest, advirtiendo por primera vez que las puertas de todas las clases están cerradas.

Todas excepto la de la clase de francés.

–¿Verónica? –exclamo hacia la puerta abierta. Todavía no estoy lo bastante cerca para ver el interior.

Sostengo la linterna con manos temblorosas mientras me demoro inspeccionando las pancartas de apoyo a los Hornets de Hillcrest, los pósters para delegado de la clase y los lapiceros tirados en el suelo.

–¿Stacey? –dice una voz masculina. La voz de Chad. Estoy segura.

–¿Chad? –Me doy la vuelta para encontrarlo, pero el delgado haz de la linterna no me permite ver a tanta distancia–. ¿Dónde estás? No te veo.

–Estoy aquí mismo.

Pero con el eco del pasillo no consigo discernir si su voz procede de delante o de detrás.

Espero unos segundos a que diga algo más. Pero como no lo hace, continúo acercándome al aula de francés que está abierta. Las lágrimas me salpican la cara antes de que entre siquiera.

Y cuando lo hago, la encuentro.

Verónica.

Está tendida en el suelo, con una colección de libros de texto alrededor de la cabeza, así como la maceta de cerámica de Madame Lenore, que sigue de una pieza. Hay un estrecho reguero de líquido que mana de su cabeza y forma un charco en forma de pera. Niego con la cabeza una y otra vez, tragándome la bilis, diciéndome que el líquido que fluye no es más que una filtración de la maceta o una gotera del techo.

Pero sé que es sangre de verdad. Que está muerta. Sus ojos de color verde musgo me miran fijamente, abiertos de par en par, decepcionados, preguntándome por qué no he llegado antes.

Alzo la vista hacia la persiana, estrellándome contra la repisa de madera. El gélido aire de noviembre se filtra en la sala, jugueteando con los mechones de pelo castaño canela de la base de la frente de Verónica, que ahora están teñidos de un intenso rojo de San Valentín. Me cubro la cara con las manos. Entonces las tinieblas de la habitación se repliegan y dan vueltas a mi alrededor. Mi cuerpo choca contra el suelo.

VEINTIOCHO

El estruendo del timbre del teléfono me despierta con un sobresalto. Me incorporo de un brinco. Durante unos confusos instantes pienso que a lo mejor lo de anoche solo fue una horrible pesadilla. Miro la cama vacía de Drea. Lo primero que pienso es que está en clase, que no he oído el despertador y he faltado a la primera hora. Pero entonces caigo en la cuenta de que hoy es sábado, cuatro lirios después.

El día señalado para la muerte de Drea.

—¿Diga?

—Hola, Stacey. Soy yo, Chad. ¿Qué tal estás?

—¿Tú qué crees?

—Bueno, ¿cómo te encuentras, por lo menos?

—Como le dije anoche a la policía, me encuentro bien. Fue más un *shock* que otra cosa.

Cierro los ojos y procuro ensamblar mentalmente los fragmentos de lo que sucedió anoche. Recuerdo haberme desvanecido, que me acompañaron hasta un coche patrulla y el destello de las luces. El olor de los aceites de eucalipto y limón que me metieron por la nariz. Las voces que intentaban hablar conmigo, preguntándome si estaba bien.

—Sí, bien —les aseguré.

—¿Quieres llamar a tu casa? —me preguntaron—. ¿Necesitas un médico?

—No. Solo quiero volver a la residencia y dormir.

Recuerdo que me puse histérica: lloré, reí y volví a llorar. Que alguien, quizá una enfermera del colegio, le dijo a la policía que necesitaba descansar un poco. Y que la policía me aseguró que no me quitarían el ojo de encima y que hablarían conmigo por la mañana. *Esta* mañana. Aunque ya son más de las once.

Pero, sobre todo, recuerdo a Verónica, muerta en el aula, contemplándome con sus seductores ojos verdes, decepcionada.

–Creen que lo hice yo –dice Chad–. Creen que la he matado.

–¿De qué estás hablando?

–Cuando entré en la clase vi a Verónica y luego a ti, y supe que te habías desmayado. Así que intenté ayudarte, pero luego se me ocurrió que a lo mejor debía ir a la ventana, ya sabes, por si veía algo y atrapaba al que lo había hecho. Y entonces llegaron los policías, me vieron y creyeron que estaba intentando escapar. Y después te vieron allí tirada. Y a Verónica... Pensaron de inmediato que lo había hecho yo. Me preguntaron qué había sucedido. Empecé a contárselo, ya sabes, que os había visto ayudando a Drea y que después te había seguido hasta el colegio. Entonces me detuvieron y me leyeron mis derechos. Me obligaron a llamar a mis padres.

–¿Qué dijeron tus padres?

–Me dijeron que cooperase y que se lo contara todo. Así que lo hice. La policía me interrogó durante más de una hora. Primero un hombre y después una mujer. Una y otra vez. Mis padres han acabado cogiendo un vuelo hasta aquí a primera hora de la mañana. Están cabreados. Van a contratar a un abogado.

Me parece percibir un leve gimoteo en su voz, cuando su aliento no consigue dar alcance a sus palabras.

–Tengo que irme –anuncia–. Solo quería asegurarme de que estabas bien.

–¿Chad?

–Solo dime que no crees que sea culpable, Stace. Ahora mismo necesito que alguien que me crea, de verdad.

No digo nada en ese momento; solo escucho su respiración al otro lado.

–Sí que te creo –respondo al fin, rápidamente, sin saber si es cierto. El teléfono produce un chasquido al otro lado–. ¿Chad? –Pero ya ha colgado y no tengo ni idea de si me ha oído siquiera.

Estoy a punto de llamarlo cuando reparo en la mochila del osito de peluche de Amber, que descansa en el suelo junto a mi cama. La policía debió de pensar que era mía. La cojo y desabrocho la barriga. La mini libreta de dibujo de Donovan está encima del todo. La saco y me la meto en el bolsillo interior de la chaqueta, preguntándome si él sigue con Drea en el hospital y si lo veré allí. Después saco el teléfono móvil de Amber, que continúa descargado, y conecto el cargador en el enchufe que hay detrás de mi cama.

Descuelgo el teléfono para llamar a Drea al hospital, pero entonces oigo un tintineo al otro lado de la puerta. A lo mejor es ella. Me arrastro hacia el borde de la cama, advirtiendo que la rendija de luz procedente del pasillo al pie de la puerta ha sido bloqueada, como si hubiese alguien allí plantado.

Vuelvo a depositar el teléfono en la horquilla y me levanto lentamente, observando las oscuras sombras que juegan al pie de la puerta. Espero unos segundos a que alguien llame o entre hasta el centro de la habitación, como no sucede ninguna de las dos cosas, agarro el bate de béisbol del rincón y abro la puerta con un movimiento brusco.

Maldita Amber. Está garabateando una nota en el tablón de mensajes que hay pegado en la puerta.

–¿Qué te pasa? –exclamo–. Me has dado un susto de muerte.

–Menudos buenos días –rezonga, invitándose a entrar–. Supongo que no hace falta que te pregunte cómo estás. –Amber cierra la puerta a sus espaldas–. He oído lo que ha pasado. No puedo creer que Verónica haya muerto.

–Pues créetelo, porque es verdad.

–Lo sé –responde, tamborileando con los dedos en el alféizar de la ventana, contemplando el jardín–. Es que... no tenía que haber pasado, ¿sabes?

Saco la botella de lavanda del cajón de los conjuros, esperando que la esencia floral contribuya a serenar mi espíritu.

–Me han dicho que van a cancelar las clases de la próxima semana –prosigue Amber–. Se supone que luego se va a celebrar una asamblea sobre esto, pero todo el mundo se está marchando para el fin de semana. –Me observa mientras me aplico el aceite detrás de las orejas con la yema de los dedos–. ¿Te encuentras bien? Pareces un poco distraída.

–¿Cómo crees que me encuentro? Hace apenas unas horas Verónica Leeman estaba muerta delante de mí y a ti te pesa tanto como si te hubieras roto una uña.

–¿Por qué iba a pesarme? Yo no lo hice. Sí, me siento mal; puede que no me cayera bien, pero yo no quería que *muriese*.

Tapo la botella y vuelvo a meterla en el cajón. Realmente no tiene sentido seguir hablando de esto con ella porque si lo hago es muy posible que se me vaya la pinza y hoy precisamente he de mantener la serenidad. La fuerza viene con la concentración.

–¿Drea ha pasado la noche en el hospital? –finalmente pregunto.

–¿De qué estás hablando? ¿No está contigo?

–¿Por qué iba a estar conmigo?

–La dejé aquí anoche. Después de salir del hospital.

–¿Cómo que la dejaste?

–Sí, después de que llamase a sus padres y le dieran el alta llamé a PJ para que fuera a recogernos y la dejamos aquí.

Miro la cama de Drea, con las mantas todavía casi intactas.

–No puede ser. Anoche no volvió a casa.

–Sabré yo si la dejamos o no.

–¿Quiénes?

–Ya te lo he dicho. PJ y yo.

–¿Qué pasó con Donovan?

–Cogió un taxi para volver. PJ se puso celoso de Donovan, diciendo que yo me estaba arrimando a él, aunque no era cierto. Así que Donovan tuvo que coger un taxi para volver porque PJ no quería que entrara en su coche.

–¿Y Drea? ¿Qué pasó cuando la dejasteis?

–Sí, pues volvimos al campus y le dije a PJ que me esperase en el coche mientras acompañaba a Drea hasta el vestíbulo. Necesitaba estar un rato a solas con él para echarle la bronca. No puede seguir pensando que estamos enrollados.

–Así que en realidad no acompañaste a Drea hasta aquí.

–No.

Nos miramos a los ojos. A pesar de los papeles que Amber y yo desempeñamos en toda esta historia, ambas sabemos lo que significa esto: que hoy es el día señalado para la muerte de Drea y ella ya ha desaparecido.

Alguien llama a la puerta.

–¿Señorita Brown? –dice la voz femenina procedente del pasillo.

Amber y yo nos volvemos hacia la puerta y nos miramos.

–Cerditos –susurra Amber–. Me niego a hablar con ellos. No tenemos por qué hacerlo, ¿sabes? Somos menores. –Coge la mochila del osito de peluche de mi cama y se dirige a la ventana.

–¡*Espera*! –siseo–. ¿Qué crees que estás haciendo?

225

–Marcharme. Si eres lista, tú también lo harás. –Amber abre la ventana y pasa una pierna por encima del alféizar.

–*¿Estás loca?* –La agarro del brazo–. Ahora no puedes irte. Tienes que contarles todo lo de anoche. Lo de Drea. *¿Te acuerdas de Drea?*

Amber titubea por un momento, pero luego retira el brazo.

–No puedo. Hablar con la policía me da un miedo que te cagas, Stace. Hacen que te sientas culpable.

–No, si eres inocente.

Ella aparta la mirada.

–Llámame en cuanto se marche. No te preocupes, Stace. Llegaremos al fondo de esto.

Entonces pasa la otra pierna sobre el alféizar y atraviesa el jardín en dirección al bosque.

Veintinueve

Abro la puerta para encontrar a una mujer menuda de aspecto frágil plantada frente a mí, ataviada de la cabeza a los pies con un traje negro de estilo DKNY, con una blusa ceñida de color crema debajo y relucientes botines negros con las punteras cuadradas.

–Hola –dice, con una voz tan menuda como ella misma–. ¿Eres Stacey Brown?

Asiento.

Se presenta como la agente Tate, aunque bien podría ser Tart[13], porque eso es exactamente lo que parece, veintitantos años, con el pelo hasta los hombros artificialmente teñido de color jengibre con una franja de color platino balanceándose sobre un ojo.

–Tengo que hacerte unas preguntas sobre lo de anoche –explica al tiempo que me enseña su placa–. ¿Puedo pasar?

Asiento y me hago a un lado, dejando que la fulana se instale en el centro de la habitación. Saca un delgado cuaderno de espiral de un reluciente bolso negro cuadrado y pasa las páginas hasta llegar a una en blanco. Pero como no estamos hablando de manicura, antes de que *intente* siquiera tomar el control de la situación yo cojo firmemente las riendas.

–Yo también tengo que hacerle unas preguntas. –Cierro la puerta de un empujón–. Mi compañera de cuarto ha desaparecido y quiero saber qué piensa a hacer al respecto.

---

(13) N. del T.: *tart* significa «fulana».

Ella estudia mi expresión desde detrás de dos lentillas brillantes de color aguamarina, esperando a que aparte la mirada. Como no lo hago, se saca un lapicero de detrás de una oreja con dos piercings y lo apoya en la impoluta página del cuaderno.

—¿Cuánto tiempo hace que ha desaparecido?

—Anoche. La dejaron aquí, delante de la residencia, pero no llegó a la habitación.

—¿Es posible que se haya quedado en la habitación de otra persona? ¿Habéis discutido?

—No. Es decir, sí. Mejor dicho, sí hemos discutido. Pero no, ella no se ha quedado en la habitación de otra persona.

—¿Cómo lo sabes?

—Mire, no tengo tiempo para discutir. Sencillamente lo sé.

—No me estás ayudando, Stacey.

—¿Es que no me ha oído? —insisto—. *Drea está en apuros.*

—Necesito que te calmes. —Hace un ademán hacia la cama para que me siente. Pero ¿cómo voy a hacerlo? ¿Cómo voy a relajarme si Drea ha desaparecido y soy la única a quien parece importarle? Cojo la botella de protección de la mesita de noche y la sostengo contra mi pecho. —Mira, Stacey, podemos andarnos por las ramas sin sacar nada en claro o puedes dejarme ayudarte. Pero solo puedo hacerlo si hablas conmigo. Empieza por el principio y dime lo que pasó.

—Está bien —accedo, aunque la idea de tener que empezar por el principio con la pequeña señorita Clairol, que no parece albergar el menor interés por Drea, no está nada bien.

—Bueno. —Me pasa la botella de agua que hay junto a la cama—. ¿Ya has hablado de esto con tus padres?

Niego con la cabeza.

—Pues necesito que hables con ellos antes de interrogarte.

—¿Por qué? A mi madre no va a importarle.

–Solo es una cuestión de procedimiento. Tienes que explicarles la situación y decirles que vas a hablar conmigo. No puedo interrogarte a menos que lo hagas. –Saca un teléfono móvil–. ¿Cuál es el número de tu madre?

Pongo los ojos en blanco y recito el número, pensando que esta formalidad no tiene ningún sentido. No tiene ningún sentido que le hayan concedido el título de adulto a mi madre, que pretende ser una colegiala, mientras que a mí me siguen considerando una niña.

–¿Hola? ¿Señora Brown? Soy la agente Jan Tate, del departamento de policía de Hanover. Su hija Stacey quiere hablar con usted. –La agente Tate me alarga el teléfono. Yo lo cojo y me lo pongo en la oreja.

–Stacey –dice mi madre–, ¿qué pasa?

–Mamá, ha pasado algo malo. Anoche asesinaron a una chica del campus y yo... encontré el cadáver.

–¿*Qué*?

–Ya lo sé. Voy a contárselo a la policía. Es que tenía que decírtelo primero.

–Stacey, espera. ¿Por qué te interrogan? ¿Por qué no me llamaste anoche para contármelo? No estarás en un apuro, ¿verdad?

–No lo sé –confieso.

–¿También van a interrogar a Drea?

–No, Drea ha desaparecido.

–¿*Desaparecido*? ¿Cómo que ha desaparecido? –pregunta.

–Que no la encuentro y no sé dónde está.

–Ay, Dios mío, Stacey. ¿Necesitas que vaya?

Dedico los segundos siguientes a intentar convencer a mi madre de que puedo hacerme cargo de esta situación yo sola, pero de todas formas me obliga a prometerle que volveré a llamarla después de hablar con la fulana.

Cuelgo y miro a la agente Tate, que está ocupada ojeando la voluminosa roca de cuarzo y el surtido de velas de mi mesita de noche.

–Vale –digo, distrayendo su mirada–. Estoy lista.

* * *

Como no soporto la idea de meter los pies en los zapatos embarrados de anoche, que siguen completamente empapados después de nuestra excursión por el campo de fútbol mojado, y no consigo encontrar un par de zapatos completo entre los desechos de ropa del dormitorio, no me queda otra alternativa que sacar del armario las zapatillas amarillas, las que tienen las gruesas cuentas de madera en los cordones. Las de mi pesadilla.

Me meto la botella de protección en el bolsillo del abrigo y atravieso la puerta siguiendo a la agente Tate, y manteniéndome al menos tres pasos más atrás. Afortunadamente, ha estacionado el coche patrulla en el aparcamiento lateral, que no está muy concurrido. Ocupo el asiento trasero, aunque ella me concede el privilegio de sentarme delante, y agacho la cabeza para que no me vea nadie.

Cuando llegamos a nuestro destino, la agente Tate me conduce a la comisaría; su aspecto es un poco diferente al que muestran en las películas. En lugar de escritorios dispuestos en hileras ordenadas como las de un colegio, papeles secantes desperdigados junto a las rosquillas glaseadas y tazas de poliestireno y teléfonos que suenan sin parar, hay un silencio tal que se podría oír la caída de un alfiler. Una lámina de cristal oscuro separa la sala de recepción de los despachos. La agente Tate le hace una señal con la cabeza al tipo que está detrás de la ventana y este nos deja pasar.

La sigo a través de un corto pasillo, aprovechando la ocasión para asomarme a los despachos que se bifurcan a ambos lados y ver a los agentes que trabajan ante los ordenadores rebuscando en los archivos. Ella me señala la sala de la derecha.

–Siéntate ahí dentro y en seguida estoy contigo.

Esto sí que se parece a la televisión. Paredes blancas desnudas, suelo de linóleo polvoriento, una mesa de madera laminada y sillas metálicas plegables. Saco la botella de protección del bolsillo del abrigo y la aferro con la palma de la mano para que me dé fuerzas.

La agente Tate entra poco después. Cierra la puerta tras de sí y coloca una grabadora en la mesa entre las dos. Nos sentamos; ella me sonríe, pulsa el botón de grabar y empezamos a hablar. Hablamos de Verónica y de los detalles de la noche anterior. Me obliga a repasar todos los detalles, desde que irrumpimos en el dormitorio de Verónica, hasta que encontré su cadáver en el aula. En seguida comprendo que la señorita Clairol es mucho más astuta de lo que sugiere su peinado. Retuerce y distorsiona las preguntas intentando ponerme la zancadilla para que diga algo diferente. Pero conozco todas las respuestas; tengo confianza en ellas. Y no tengo nada que ocultar. Casi.

–¿Viste quién había enviado el email? –Estudia mi cara en busca de una respuesta.

Miro la botella de protección que tengo en el regazo, preguntándome qué estoy haciendo, por qué intento protegerlo.

–Era de Chad –digo al fin, sintiéndome egoísta por no haberlo dicho desde el principio.

Ella asiente como si ya lo supiera.

–En tu opinión, Stacey, ¿Chad y Verónica eran muy buenos amigos?

Niego con la cabeza, sabiendo exactamente adónde quiere llegar con este interrogatorio.

–Entonces, ¿por qué crees que le preocupaba tanto que hubiese copiado?

Me encojo de hombros.

–¿Crees que es posible que solo quisiera estar a solas con ella?

–No. –Me tapo los ojos con la mano ante la idea de que Chad se citase allí con ella y se presentara un poco después–. ¿Por qué iba a hacerlo?

–¿Necesitas un minuto?

Niego con la cabeza y aspiro una honda bocanada.

–No sé por qué iba a hacerlo.

Cuando la agente Tate parece suficientemente satisfecha con mis respuestas, acaba siguiéndome la corriente durante unos minutos mientras me desahogo hablándole de las pesadillas y la lectura de cartas, las llamadas por teléfono, las notas, la ropa sucia desaparecida, los lirios y lo que significan... la forma en que percibí el aroma a tierra que emanaba de los tallos y los pétalos. Le explico que había percibido antes ese aroma en el sujetador rosa de Drea y que había sentido sus vibraciones en la lavandería. Hasta le cuento que he intentado ayudar a Drea con mis conjuros. Que Amber, Drea y yo creamos la botella de protección y consagramos sus poderes. Y cuando acabo, cuando al fin consigo tomar aliento, me mira como si estuviera loca, como si fuera *yo* la que tuviera que ir al hospital.

Por supuesto, nada de lo que digo, ni una sola sílaba, le parece digno del maldito cuaderno. Y eso ya me da ganas de arrancárselo de sus hermosas manos de parafina y tirarlo a la basura.

–¿Conservas alguna de las notas que recibió Drea? –pregunta.

Niego con la cabeza, recordando que Drea las quemó con una de mis velas. Pero entonces recuerdo.

–Encontramos una nota en el joyero de Verónica.

–¿Qué decía?

–"Ocúpate de tus asuntos".

–Hmm... Parece que alguien estaba enfadado con Verónica.

–Es evidente –digo.

—Escucha, Stacey —prosigue, exhalando un gran suspiro, y se inclina hacia delante apoyando los codos sobre la mesa—. Digamos que Drea *recibió* esas cosas. Es difícil seguir una pista así sin ninguna prueba.

—¿No le basta el cuerpo de Verónica Leeman?

—Hablemos de eso. Amber me ha dicho que anoche fuisteis al colegio para coger un libro que habías dejado en una de las aulas.

—¿Ah sí? ¿Cuándo ha hablado con *ella*?

La agente Tate se aclara la garganta, ignorando la pregunta.

—A juzgar por lo que acabas de contarme, es evidente que eso no es cierto.

Me planteo comprometer la verdad de algún modo para respaldar la información que acabo de proporcionarle y proteger la mentira de Amber al mismo tiempo. Me vuelvo para echar un vistazo a la puerta, preguntándome si está cerrada con llave y por qué no hay ninguna ventana en esta sala. Por qué hace tantísimo calor.

—No —respondo, decidiéndome por la verdad.

—¿Sabes por qué me puede haber mentido Amber?

Niego con la cabeza. Claro, puede que haya sido para no cargársela por irrumpir en una habitación ajena, salir después del toque de queda o allanar una propiedad del colegio. Pero la pena por esas cosas parece increíblemente insignificante comparada con lo que ya ha sucedido. Amber no tiene derecho a mentir. Y yo tampoco.

—Te diré una cosa —empieza—, haré un informe sobre la supuesta desaparición de tu compañera de cuarto y me ocuparé de ella personalmente. Pero primero necesito que me respondas a una pregunta. ¿Alguna vez has hablado con alguien de esas visiones que dices que tienes?

—¿Cómo que "digo que tengo"?

—Bueno, Stacey, tienes que admitir que no es exactamente... común.

Me levanto de la mesa, llenando los pulmones de aire, alzando la voz tres octavas.

–*¿No me cree?*

–Yo no he dicho eso.

–Mire, aunque crea que estoy loca, alguien está detrás de Drea. –Me llevo la botella de protección a la cabeza, al punto donde ha empezado a dolerme–. ¿No lo comprende? La va a matar igual que ha matado a Verónica. Las cartas, los lirios, las notas, mis pesadillas... hoy es el día en que Drea va a morir.

La agente Tate se levanta de la mesa, y con una voz tan quebradiza como una piedra de arena de la playa me dice:

–Me parece que necesitas descansar un poco más. Anoche tuviste una noche bastante inquietante. Eso dejaría a cualquiera un poco... confuso. –Aprieta el botón de stop de la grabadora.

–¡No estoy confusa!

Se saca una tarjeta de visita del bolsillo de la chaqueta y la alarga como si fuera una piruleta, como si ella fuera la enfermera, yo la paciente y esto la consulta del pediatra.

Como si nada de lo que he dicho significase nada.

–Probablemente tendré que hacerte más preguntas después –dice–, pero llámame si se te ocurre algo más.

–Entonces ¿va a buscar a Drea? –pregunto.

–Como te he dicho, lo investigaré y me pondré en contacto contigo. Pero no te preocupes, probablemente se habrá quedado en otra habitación, sobre todo si habíais discutido. Vemos ese tipo de cosas constantemente. –Hace un nuevo ademán para que acepte la tarjeta. Me la guardo en el bolsillo trasero. –Bien. –Sonríe–. Ahora, déjame llevarte de nuevo al campus. –Sostiene la puerta abierta de par en par para que salga.

Entonces estoy segura. Si quiero salvar a Drea tendré que hacerlo sola.

TREINTA

El recorrido por el campus de Hillcrest hasta la residencia de los chicos es más largo de lo acostumbrado. La policía ha bloqueado todo el edificio O'Brian, incluyendo la zona del aparcamiento y el patio de adelante, obligando a los alumnos a emplear el camino principal.

Periodistas, administradores del colegio y espectadores curiosos acuden a la escena, deseosos de hacerse con las jugosas migajas que no les sirven en los informativos matinales. Por suerte para mí, la historia sigue siendo relativamente nueva; los reportajes continúan refiriéndose a mí como "la alumna que encontró el cadáver". No obstante, no puedo evitar preguntarme si alguno de ellos sabe que se trata de mí.

Me escabullo lo mejor que puedo entre la muchedumbre de alumnos que huyen para pasar el fin de semana fuera, eludiendo las maletas y las mochilas en movimiento. Algunos chicos del último curso se lo han tomado como si fuera una película de terror de pacotilla, intentando agitar aún más a la gente, suponiendo que eso sea posible.

–El último que salga del campus es un alumno muerto –exclama uno de ellos.

Entre tanto, hay un corro de chicas de primero a escasos metros de distancia que lloran y se abrazan. Le sostengo la mirada a una de ellas; una muchacha con el pelo rojo de punta y la cara pecosa. Separa los labios al verme y me pregunto si lo que surca su rostro es una sospecha. Aparto la vista y continúo caminando.

Cuando creo hallarme un tanto segura, me detengo a obsevar la escena con atención. El edificio O'Brian parece muy distinto de anoche, violentado, con la cinta amarilla de la policía y el enjambre de fotógrafos. Paseo la mirada por los rostros individuales que lloran, tiemblan y señalan hacia la ventana abierta por donde entramos.

Me dispongo a apartarme cuando veó a Verónica. Se encuentra al otro lado de la cinta amarilla, con el rostro vuelto hacia mí, apoyada en el hombro de un hombre mucho mayor, al que está abrazando.

Parpadeo varias veces, confusa y excitada, pensando durante un breve instante que de algún modo todo esto ha sido un tremendo error.

Pero entonces caigo en la cuenta de que no se trata de Verónica.

La mujer se deshace del abrazo, pero entrelaza el brazo con el del hombre mientras solloza en el cuello de su chaqueta. Tiene el pelo hasta los hombros, rizado y castaño, del color de la nuez moscada. Pero sus ojos son lo que más me sobresalta. Son inconfundibles, verdes musgo y mirada inocente. Son los ojos de Verónica. Es la madre de Verónica.

Me tiemblan las rodillas al verla y siento una opresión en el pecho. Antes me sentía fatal. Desgraciada. Culpable. Responsable. Pero ver a Verónica como la hija perdida de alguien, hace que sea muchísimo peor.

Continúo recorriendo el campus, sin desviar la mirada, intentando no concentrarme en nada ni nadie. Lo irónico de esta escena con la policía y los empleados de seguridad es que, cuando llego a la residencia de los chicos, no hay nadie de servicio en el mostrador de recepción, tan solo pelotones de muchachos que se filtran por las puertas de salida sin molestarse en consignar la ausencia del fin de semana. Me abro paso entre ellos y subo las escaleras hasta el segundo piso. Necesito encontrar a la única persona que creo que puede resolver este acertijo.

PJ.

—Sí —dice, asomándose por la rendija de la puerta.

—¿PJ? —Su dormitorio está tan oscuro que apenas distingo su rostro—. ¿Eres tú?

—¿Quién va a ser? —Cuando abre la puerta un poquito más compruebo que se ha vuelto a teñir el pelo, en esta ocasión de color negro azabache.

—¿Por qué estás a oscuras? —Lo aparto de un empujón y entro.

—Me ayuda a pensar. Me gusta hacerlo de vez en cuando. —Cierra la puerta tras de mí—. Las cosas se han desquiciado ahí fuera. Es un poco demasiado real para mi gusto.

—Irreal —susurro yo. Miro la persiana bajada al otro lado de la ventana y me pregunto por qué insiste en que sigamos a oscuras—. Casi no te reconozco con ese color de pelo.

—Puede que me hayas confundido con la portada de *GQ* de este mes. —Se peina las puntas de los pinchos del pelo, pero no con la elegancia acostumbrada. No sonríe, no rebosa confianza. Y ni siquiera me está mirando de verdad.

—Puede que no —respondo al tiempo que oprimo el interruptor de la luz.

PJ entrecierra los ojos.

—¿A qué debo este placer?

—Tenemos que hablar.

—Parece serio.

—Es que lo es. Necesito que me cuentes exactamente lo que pasó anoche cuando recogiste a Drea y Amber en el hospital.

–¿Qué quieres decir? Las recogí y luego las dejé.

–¿A las dos?

–*Sí, señorita*[14].

–Amber me ha dicho que acompañó a Drea hasta el vestíbulo y que después volvió a tu coche para hablar.

–Sí, claro. Quería estar a solas conmigo. ¿Quién puede culparla? Qué guarrilla.

–¿No estabais discutiendo?

–¿Discutiendo? Más bien lo contrario. A menos que los chupetones se consideren vejatorios.

–No –protesto–. Estabais discutiendo. Estabas enfadado con ella. Porque se estaba arrimando a Donovan. Te estaba ignorando.

–Estás hablando en un idioma completamente distinto. No sé a qué te refieres. Amber puede darse el lote con quien quiera cuando le apetezca, incluyéndome a mí. Como anoche, por ejemplo.

Empieza a darme vueltas la cabeza. Me la sujeto con las manos para intentar detenerla.

–Tengo que sentarme.

PJ hace un ademán hacia su cama, que está atestada de ropa sucia y cajas de pizza vacías. Despejo un espacio y me dejo caer.

–¿Quieres un poco de *agua*[15]? –Abre la mini nevera y me ofrece una jarra de tres litros y medio con churretones de chocolate de sus labios en el cuello. Bebo un sorbo a pesar de todo–. ¿Qué te pasa? –pregunta–. ¿Se trata de Verónica?

Asiento.

–Y por si fuera poco, Drea ha desaparecido. No volvió a la habitación después de que la dejarais anoche.

---

(14) N. del T.: en español en el original.

(15) N. del T.: en español en el original.

–Eso es imposible. A lo mejor se fue antes de que te levantaras esta mañana.

No soporto escuchar más explicaciones plausibles sobre el paradero de Drea. Me levanto con dificultad de su cochambrosa cama.

–¿Puedes responderme a otra pregunta?

–¿Qué?

–¿Cuánto tiempo se quedó Amber en el vestíbulo con Drea antes de volver a tu coche?

–No lo sé, unos cinco minutos. No lo suficiente para matar a nadie.

–¿Por qué dices eso? –exclamo–. ¿Cómo puedes siquiera...?

–Mira, Stace –dice–, estás un poco rara, hasta para mí. No te pongas siniestra. Seguro que Drea está bien. Probablemente está haciéndose las uñas en un *spa*. ¿Por qué no le das la lata a un policía? Hay muchos merodeando por aquí. –Levanta un poco la persiana para asomarse al exterior–. Hoy me toca comerme un marrón.

–¿Cuál? –pregunto.

–Que no tengo coartada para la noche de ayer.

–¿Por qué ibas a necesitar una? ¿Dónde estuviste?

–Aquí. Tiñéndome el pelo. Supuse que si Amber se estaba arrimando a Donovan le gustaría mi nuevo aspecto seductor: alto y sombrío, con una elegancia peligrosa.

–Creía que no te importaba con quién tontease.

–Y no me importa –asegura.

–Entonces, ¿por qué necesitas una coartada?

–Porque odiaba a Verónica Leeman y quizá una parte de mí deseaba que la palmase. Ya lo sabes. Lo sabe todo el mundo. Y la gente está empezando a hablar de ello.

–¿Qué gente?

–No importa. Lo que importa es que anoche nadie me vio en la residencia y que en el mostrador no había nadie para consignar mi llegada.

–Ahora eres *tú* el que se está poniendo siniestro

–Quizá –admite, abriendo la puerta para dejarme salir–. O quizá es que *soy* siniestro.

TREINTA Y UNO

Sin saber adónde ir ni qué pensar, vuelvo a mi habitación. Pero antes de que consiga siquiera entrar un dedo del pie, me intercepta el portento hirsuto en persona: Madame Descarga.

–Has faltado a la asamblea –dice.

–Ya lo sé. He tenido que salir del campus. –Meto la llave en la cerradura y evito establecer contacto visual con ella, esperando que comprenda.

–No era una asamblea voluntaria. Te han puesto una ausencia. Había que obtener un permiso especial de un padre o un tutor para faltar.

Giro la llave. *Clic.* ¿Por qué no se marcha ya? La miro con la esperanza de aplacar su curiosidad lo suficiente para que se vaya.

–Lo siento. En cuanto pueda iré sin falta a pedirle disculpas al director Pressman.

Se acerca un paso y su aliento huele a chucherías: Doritos mezclados con Coca Cola light. Estudia mi rostro, el movimiento de mis ojos, la hinchazón involuntaria de mis mejillas.

–Cuando te pusieron la ausencia algunas chicas dijeron que te habían visto subiendo a un coche de policía. ¿Es eso cierto?

Niego con la cabeza, me cuelo en el dormitorio y cierro la puerta. No tengo tiempo para preocuparme por Madame Descarga ni por nadie que pueda estar difundiendo rumores sobre mí. Son casi las cinco. Solo faltan siete horas para la medianoche, cuando el día se habrá acabado por completo. Me dejo caer en la cama y advierto que el teléfono móvil de Amber sobresale junto a mis pies. Lo desenchufo del cargador y me lo meto en el bolsillo, pensando que Amber me mintió al decirme que no había hablado con la agente Tate y que no he sabido nada de ella desde esta mañana.

No tiene sentido y ya no puedo pensar. Saco la tarjeta de la agente Tate del bolsillo trasero y marco el número. Quizá haya descubierto algo sobre Drea.

–¿Hola? –digo–. Tengo que hablar con la agente Tate. Dígale que soy Stacey Brown.

Pero la agente Tate no está y no me molesto en dejarle un mensaje. Intento llamar a mi madre como le había prometido, pensando que quizá un poco de inspiración materna me siente bien en este momento, pero el teléfono suena y suena sin cesar. Estupendo.

Cojo el álbum de recortes familiar. Si no logro comunicarme con el mundo de los espíritus en mis sueños, lo haré durante las horas de vigilia. Paso las páginas hasta la sección titulada "Cómo canalizar espíritus" y decido llevar a cabo el conjuro que escribió mi tía abuela.

Las instrucciones indican que hay que confeccionar las letras del alfabeto cortando pedacitos de papel y escribiendo en ellos. Pero no hay tiempo. Saco el polvoriento juego de Scrabble del estante superior del armario. Lo tengo desde el concurso de ortografía de cuarto y sé que faltan algunas letras, pero no importa. Confío en que servirá.

Empujo la cama hacia un lado para trazar un círculo sagrado, coloco ocho gruesas velas blancas en el suelo señalando, en todas ellas, las direcciones de norte a oeste y las enciendo con una larga cerilla de madera. La abuela siempre hacía hincapié en la importancia de dibujar un círculo sólido, que no puedan franquear los espíritus inquietos que buscan una apertura.

Espolvoreo azúcar y sal *kosher* alrededor del perímetro del círculo y coloco piedras y cuarzos en los bordes. En el centro pongo un cuenco de cerámica recién lavado. Y añado unos trocitos de chocolate de la barrita que Drea estaba comiendo anoche (los que tienen las marcas de sus dientes), un manojo de pelo de su cepillo y un par de fragmentos de uñas mordidas (todavía adheridas a la uña postiza) que consigo hallar en la papelera.

Extiendo las fichas del Scrabble delante de mí. Pongo la S a la izquierda en lugar del sí, la N a la derecha en lugar del no y encima la P, que representa el interrogante. Todo está listo. Me siento en silencio durante largo rato intentando encontrar el equilibrio con las energías que fluyen a través de mi cuerpo y de la habitación.

–El mal no puede penetrar en este círculo sagrado –susurro–. Este círculo sagrado es seguro. Este círculo sagrado es poderoso. Y este círculo sagrado es revelador. Imagino un círculo de luz encima de este círculo sagrado que me rodea y me protege mientras invoco a los poderes que me permitan hablar con los difuntos.

La temperatura de la habitación desciende y un escalofrío me recorre los hombros.

–Madre Sagrada, te invoco a vos para que me permitas hablar con mi abuela, Anne Blake. –Extiendo las manos sobre las letras y espero durante largo rato a que vibren las ventanas o tiemble el suelo como en tantas historias ficticias que se cuentan sobre aventuras de madrugada con la *ouija* y sesiones de espiritismo en fiestas de pijama. Pero no sucede nada semejante. De hecho, la habitación parece más silenciosa que nunca.

Vuelvo a cerrar los ojos y me concentro aún más.

–¿Abuela? –murmuro–. ¿Estás aquí? –Describo círculos sobre las letras en el sentido contrario a las agujas del reloj con las palmas de las manos hacia abajo. Entonces percibo que la energía de la habitación conduce mis dedos hacia la ficha de la S. –¿Puedes ayudarme a comprender mis pesadillas? —Siento que mis manos se ven atraídas hacia la P. Respiro profundamente intentando refrenar las preguntas que surcan mi cerebro y acabo formulando la más evidente de todas: —. ¿Sabes quién es el acosador de Drea? —Mis manos se mueven hacia la S.

Aspiro otra honda bocanada, preparándome para la respuesta. Casi no quiero saberlo.

—¿Cómo se llama? —pregunto.

Espero unos segundos a que la energía fluya por mis dedos y me guíe hasta la respuesta. Describo círculos sobre las letras con las manos y flexiono las muñecas hacia arriba y hacia abajo, como si eso marcase alguna diferencia. Pero es casi como si mi abuela pudiera ayudarme, solo si averiguo las cosas por mi cuenta.

—¿El acosador es alguien a quien conozco? —Mis manos se detienen en medio del círculo y se desplazan hacia la S.

Cierro los ojos, concentrándome en lo que debería preguntarle a continuación, y la pregunta se me antoja obvia:

—¿Por qué estoy teniendo estas pesadillas? —Me siento atraída hacia las letras, mis dedos se dirigen al montón de fichas para separar las que parecen adecuadas. Les doy vueltas hasta que se calma la energía de mis manos y las letras indican: ADVNAR FUTR. No tengo tiempo para preocuparme por las fichas que faltan. He de seguir adelante.

Devuelvo las fichas al montón y extiendo las manos en el aire.

—El acosador dijo que vendría a por ella. Ahora que lo ha hecho, ¿adónde la ha llevado? —Siento que la energía conduce mis dedos de nuevo hasta las letras, escogiendo una serie de fichas y poniéndolas en su lugar. En esta ocasión dicen: TS SUEÑS.

Reflexiono unos instantes. Si se supone que mis sueños han de ayudarme a predecir el futuro, la respuesta a la pregunta de dónde se encuentra Drea está dentro de ellos. Tiene mucho sentido, como si lo hubiera sabido desde el principio.

Observo las llamas de las velas que oscilan hacia delante y hacia atrás como pequeñas serpientes luminosas, preguntándome si debería hacerle la otra pregunta, si me servirá de ayuda, si queda tiempo.

—Abuela —susurro—, ¿por qué he estado mojando la cama? ¿Qué significa?

La habitación se enfría durante los escasos segundos que espero. Mantengo los ojos cerrados, concentrándome en la pregunta, confiada en mis pensamientos. Al cabo de unos instantes, parece que la energía se ha apoderado de mis manos. Mis dedos aferran las letras, cogiendo un puñado y ordenándolas. Dicen: ST SCNDD.

¿ST *SCNDD*? ¿Qué significa eso?

No tengo tiempo para pararme a pensar en ello. Tengo que confiar en lo que ya sé.

—Gracias, abuela —susurro—. Te echo de menos. —Apago la llama con el apagavelas para poner fin a la sesión y abandono el círculo sagrado. Me dirijo hacia donde sé que encontraré a Drea.

El bosque.

TREINTA Y DOS

Me interno en el bosque atravesando la abertura que hay entre los árboles que hay detrás de la residencia. Antes de marcharme, acabo llamando a la agente Tate para decirle adónde voy. Que me tome en serio o no, es una cosa completamente distinta.

Pero me asegura que vendrá. Rezo para que lo haga.

Está oscuro; el entramado de ramas que hay sobre mi cabeza bloquea los vestigios de luz del sol poniente. Probablemente falta menos de una hora para que no se vea nada en absoluto. ¿Por qué no se me habrá ocurrido traer una linterna?

El olor de la tierra me rodea y parece intensificarse a cada paso cauteloso. Camino durante unos minutos, procurando no apartarme del sendero y seguir adelante. Me concentro en los sonidos que me rodean: el gorjeo de los grillos, el rumor de las hojas y las ramitas que se quiebran bajo mis pies. Pero entonces oigo otra cosa: pasos, quizá, el sonido de un cuerpo que atraviesa la maleza rozando las ramas.

Intento precisar de dónde procede, pero el timbre que suena en mi bolsillo me interrumpe, transmitiéndome una descarga de pánico por los huesos de la columna vertebral. Es el teléfono móvil de Amber. Había olvidado hasta que lo tenía. Me pongo en cuclillas detrás de un árbol para contestar.

–¿Diga?

–Stacey, gracias a Dios que tienes mi teléfono.

–¿Amber? –susurro–. En este momento no puedo hablar.

–Ven a mi habitación. He decidido que quiero hablar con la policía.

–Si ya has hablado con ellos; ya lo sé.

–Hablé con una policía unos cinco minutos. Pero después me cagué de miedo y metí la pata, o mejor dicho, me fui por patas y salí pitando de allí. Así que no le dije gran cosa, la verdad. ¿Qué quieres que te diga? He pasado del rechazo a la aceptación y el miedo en menos de veinticuatro horas. Supongo que el asesinato me produce ese efecto. Es como en *Escuela de jóvenes asesinos* y *Jóvenes y brujas*, ¿sabes? Real.

–Estoy un poco ocupada –digo.

–Pues *desocúpate*, porque estoy dispuesta a hablar con la policía ahora mismo, Stacey, y quiero que estés aquí cuando lo haga.

–*¡No puedo!*

–Puedes y lo harás. Es por Drea. Nos vemos dentro de unos minutos. –Cuelga.

Yo también cuelgo, aunque no tengo intención de reunirme con ella. No tengo más tiempo que perder.

Sigo adelante, concentrándome en la esencia del bosque, esperando que me lleve hasta Drea. Vuelve a estar en silencio, como si el que me estaba siguiendo se hubiera detenido o se hubiese encaminado en otra dirección.

Al cabo de un par de minutos llego a una zona parcialmente despejada. Miro al cielo en busca de alguna señal, como si las oscuras nubes pudieran indicarme qué camino he de seguir, abriéndose como una especie de mapa desplegable. Pero se han juntado formando un ramo de lirios azulado como el humo, recordándome que debo darme prisa.

Camino a grandes pasos, extendiendo los brazos para apartar los arbustos de mi cara. Me detengo un momento y me doy la vuelta, convencida de que alguien vuelve a moverse a mis espaldas. Avanzo unos pasos rápidamente para aumentar la distancia. La persona que me sigue hace lo mismo.

Aprieto el paso hasta echar a correr, procurando sortear los arbustos y encontrar un lugar donde ocultarme. El suelo se convierte en lodo bajo mis pies. Se hace más profundo a cada paso, refrenándome, tirándome de las zapatillas.

Doy un gran paso, y mi pie se hunde en el fango por encima del tobillo. Levanto la pierna. El peso del fango engulle literalmente mi zapatilla. Descalza, pugno por abrirme paso a través del cieno viscoso hasta llegar a una superficie más firme. Pero entonces he de detenerme. Siento un dolor incisivo en el empeine del pie desnudo. La sensación explota en dirección al tobillo y me sube por la pierna. Alargo la mano para palpar su origen. Hay un palo que sobresale a través de la piel. Siento que empiezo a jadear, que las luces que hay detrás de mis ojos se atenúan. Tengo ganas de vomitar. Busco a tientas en la oscuridad una rama que me ayude a sostenerme, pero acabo resbalando y estrellándome contra la tierra húmeda y fría.

–¿Stacey? –susurra una voz masculina.

Es diferente a la que esperaba escuchar, más suave y amable; sincera. Sin embargo, cojo una roca del suelo, encuentro a ciegas el canto más rugoso y me preparo para atacar.

–¿Stacey? –repite la voz–. ¿Eres tú?

Un haz de luz me ilumina desde el pie descalzo hasta la cara, obligándome a entrecerrar los ojos. Y después se aparta para alumbrar la suya.

Es Donovan. Y está escondido. Está agazapado entre dos recios arbustos, con el rostro parcialmente cubierto por un entramado de ramas.

–¿Se han ido? –pregunta–. ¿Has visto a alguien? –Su rostro está pálido, enmascarado por una combinación de miedo y sudor.

Pero, ¿qué está haciendo aquí?

Niego con la cabeza y me agarro el pie descalzo, tratando de precisar cuánto se ha hundido el palo; un centímetro y medio, quizá.

–¿Qué ha pasado? –pregunta.

Pero jadeo con tanta intensidad, y sintiendo el sudor que brota de mis sienes, que no le contesto.

Donovan saca un teléfono móvil de su bolsillo. Marca y se lleva el teléfono a la oreja.

–Mierda –rezonga.

–¿Qué? –susurro.

–La policía. He intentado llamarlos, pero no tengo cobertura en el móvil. –Mira por encima de los dos hombros, aparta una maraña de ramas y se dirige hacia mí. Me alumbra el pie con la linterna–. Anda, déjame ayudarte. –Coloca la linterna en el suelo de modo que el foco siga orientado hacia mi pie. El palo ha perforado el tejido del calcetín, directo hacia la venda que utilicé para cubrir el corte que me hice con el cristal de la ventana rota en la habitación. Donovan examina la herida y coge el extremo del palo.

–Despacio –digo, dándole permiso.

Él asiente y retuerce el palo con gran cuidado para extraérmelo del arco. Me estremezco un par de veces cuando lo saca por completo, imaginando que debe de haber perforado el músculo.

Donovan me quita el calcetín. Sorprendentemente, el palo no está demasiado ensangrentado y tampoco lo está la herida. Le indico que me traiga un par de hojas húmedas de un árbol. Paso las hojas sobre la herida en un esfuerzo por limpiarla un poco.

–¿Cómo estás? –pregunta Donovan.

–¿Tú qué crees? –replico–. Pero me pondré bien. –Me envuelvo el corte con el calcetín y lo ato lo más fuerte que puedo para que se coagule la sangre.

–¿Estás segura?

Asiento.

–¿Qué estás haciendo aquí fuera? –Mira por encima del hombro–. Olvídalo, no tenemos tiempo. No podemos quedarnos aquí. No te alejes de mí. ¿Puedes caminar? ¿Necesitas que te lleve?

–No, estoy bien.

–Vamos –dice–. No sé quién me está jodiendo, pero aquí seguro que nos encuentran.

–¿Quiénes?

Donovan me coge de las manos y me ayuda a ponerme en pie, ignorando mi pregunta. Me rodea los hombros con los brazos y dirige la linterna entre nosotros, de modo que yo también pueda ver. Nos escabullimos entre los arbustos, salvando las rocas y sorteando los árboles; Donovan mira constantemente por encima de los hombros de los dos para comprobar si nos siguen, y yo cojeo lo mejor que puedo, intentando mantenerme a su altura a pesar de la palpitación del pie. Llegamos a una zona parcialmente despejada, y nos detenemos para recuperar el aliento.

–Espera, Donovan –susurro al fin. Rodeo con la mano la botella de protección, que todavía está en el bolsillo de mi abrigo. Si tengo fe me protegerá–. Sigue sin mí si quieres. –No puedo seguir corriendo. Si quiero salvar a Drea tengo que detenerme y hacer frente al futuro que hemos creado.

Él me mira un tanto confundido.

–No pienso dejarte sola en medio del bosque. Ni siquiera deberías estar aquí fuera. ¿Por qué *has* venido?

–¿Por qué has venido *tú*? –pregunto.

–Tenía que comprobar algo.

–¿*Qué?*

–Simplemente algo que había oído, ¿de acuerdo? Así que vine en esta dirección, vi una cosa que no debería haber visto y he estado huyendo desde entonces. Fin de la historia. Solo quiero salir de aquí entero.

–Espera, ¿qué has visto?

–Nada que quieras saber ahora mismo –dice–. Pero confía en mí.

–Pues yo también tengo que comprobar una cosa –respondo–. Y no quiero seguir corriendo.

–Te diré una cosa. –Alumbra alrededor con la linterna hasta que encuentra un peñasco–. Agáchate detrás de esa roca y comprobaré si se han ido. Si todo parece seguro podemos volver al campus. –Se mete la mano en el bolsillo y extrae un bolígrafo linterna de su llavero–. Coge esto. Vuelvo en seguida. Intenta no hacer ruido.

Acepto la linterna, pero no me siento. Contemplo el cielo negro como un gato; las copas de los árboles se han separado ligeramente, de modo que consigo divisar la estrella polar. La inhalo, permitiendo que las luces de la formación de estrellas y la luna empapen mi rostro y me concedan energía.

Y entonces me acuerdo de algo. El cuaderno de dibujo de Donovan está en el bolsillo interior de mi chaqueta. Lo saco, recordando que anoche afirmó que estaba dibujando. Encuentro la página, la única escena nocturna del libro. Un dibujo de la luna en el último cuarto.

Pero esta noche hay luna creciente; todavía faltan varios días para el primer cuarto. Y el primer y el último cuarto están separados por medio mes. Es imposible que hayan cambiado de la noche a la mañana.

Ilumino con la diminuta linterna la dirección que ha seguido Donovan. El delgado haz solo proporciona unos metros de luz. Doy pasos cuidadosos sobre los matorrales y las hojas desprendidas, intentando con todas mis fuerzas no hacer ruido. Parece haber una especie de sendero pavimentado, rodeado por un grupo de árboles. Lo sigo, empleando mis instintos más básicos para orientarme.

Se me ocurre hacer un conjuro de última hora, invocar algún espíritu que pueda responder a todas mis preguntas. Pero de algún modo, en mi interior ya sé lo que necesito. Es como lo que la abuela decía siempre de los conjuros que adquieren sentido de repente, que somos nosotras quienes les confieren significado, que en algún lugar de nuestro ser se hallan la voluntad y la verdad más poderosas de todas.

Aparto de mis ojos una delicada rama en forma de tridente. Y la veo, la obra de mi pesadilla. El armazón de una casa iluminada por focos distantes. De pronto me acuerdo del email que recibió Drea, el que le envió Chad, "La casa de Jack".

Aquí es donde encontraré a Drea. Estoy segura.

La estructura de la casa es tal como había soñado. Han levantado tablas lechosas de gran altura a modo de paredes. En la fachada hay una arcada rectangular que hace las veces de entrada.

Me dirijo de puntillas hacia el frente de la casa, temiendo y sabiendo exactamente lo que encontraré. Y ahí está. Recién cavado. El nombre de Drea escrito en la tierra.

Tengo ganas de vomitar. Me tapo la boca con la mano y respiro entrecortadamente. Esto no puede ser real. No puede estar sucediendo.

Pero así es.

Siento que retrocedo, alejándome de las letras, procurando sofocar mi temor. Ver los detalles de mis sueños plasmándose en

253

tiempo real es horrible, extraño y terrorífico al mismo tiempo. Pero si los uso correctamente es posible que consiga salvar a Drea.

Me lanzo de cabeza hacia la casa, estampándome la frente contra el foco suspendido del techo incompleto. Una nube de puntos de colores surge delante de mis ojos, casi cegándome. Pero cuando los colores se desvanecen puedo ver. Es como en mi sueño, como si ya hubiera estado en este lugar. Me encuentro en una estancia espaciosa y abierta, enmarcada por tablones de madera de gran altura. Delante de mí hay un largo pasillo con habitaciones adyacentes a derecha e izquierda.

Recorro poco a poco las tablas, buscando algún indicio de Drea. Al otro lado de la cuadrícula de los tablones de las paredes distingo una manta extendida en el suelo de la habitación contigua, debajo de otro foco suspendido. Me acerco. Alguien ha preparado un picnic. En el centro de una manta de cuadros rojos y blancos descansa un canasto de mimbre del que sobresalen una hogaza de pan francés y una botella de vino. Y un ramo de brotes de lirios frescos en un jarrón de cristal tallado.

El viento sopla a través del armazón de la casa y me distrae, echándome el pelo hacia atrás. Mi mirada se dirige al rincón de la habitación. Hay una mochila azul marino tirada contra la pared. Me acerco lentamente a ella, como si hubiera algo vivo dormitando en su interior. La recojo, desabrocho la cremallera de la sección principal y me asomo al interior. Pero está demasiado oscuro para distinguir nada con claridad.

Me siento con la mochila y alumbro la abertura con la linterna. Hay una lata de Coca Cola light vacía. Cuando la saco, reparo en la huella de lápiz de labios de color rosa salmón que hay en el borde. El color favorito de Drea. El siguiente objeto es una barrita de chocolate negro a medio comer; de las que Drea siempre compra en la máquina del vestíbulo de la residencia, con un envoltorio de plástico alrededor de las marcas de los dientes a modo de protección. Y su cuaderno del laboratorio de física, el que a veces le presta a Chad.

Veo otro objeto en el fondo. Su sombra proyecta una especie de lazo en el tejido de nailon. Meto la mano y lo saco. Es el sujetador rosa de Drea, el que se llevaron de la lavandería.

Mi cuerpo se estremece. Me muerdo la lengua para no gritar a pleno pulmón.

El teléfono móvil de Amber suena en mi bolsillo. Contesto lo más aprisa que me permiten los dedos.

–¿Diga? –susurro, sin dejar de temblar, apenas capaz de sostener el teléfono entre las manos.

–¿Dónde demonios estás?

–Amber... –jadeo, tropezándome con mi propio aliento.

–Tenías que venir a mi habitación. La policía también ha venido. He llamado a la agente Tate. Estamos aquí esperándote.

–No, la policía va a venir aquí. Ella va a venir aquí. Se lo he dicho.

–Sí, bueno, pues yo le he dicho que ibas a venir a reunirte conmigo. Espera, ¿qué te pasa? ¿Algo va mal?

Las tablas del suelo crujen. Me vuelvo hacia la estancia principal, advirtiendo que el foco se ha apagado. Los pasos recorren las tablas de una de las habitaciones. Desconecto el teléfono, vuelvo a meterlo todo en la mochila y me meto la linterna en el bolsillo. Me levanto, clavada en el centro de la habitación, esperando que la oscuridad me oculte.

Estoy completamente sola. No va a venir nadie.

TREINTA Y TRES

El sonido de los pasos acercándose me llena los oídos. Alargo los brazos y extiendo los dedos intentando encontrar la entrada que me lleve a la estancia principal, por donde he entrado. A pesar del dolor creciente, apoyo todo mi peso en el pie descalzo a cada paso para no hacer ruido, pero entonces mi tobillo produce un sonoro chasquido.

Cierro los ojos, aprieto los puños y me quedo inmóvil, intentando no respirar. Espero unos segundos, pero no hay más que silencio. Me arrastro lentamente hacia la pared y palpo los tablones con los dedos intentando encontrar la abertura de la entrada. Cuando lo consigo, me quedo en lo que, imagino, es el centro de la sala, tratando de recordar si la puerta principal estaba a la derecha o a la izquierda. La negrura se intensifica, omnubilando mis sentidos, haciendo que me dé vueltas la cabeza. Quiero gritar.

Los pasos continúan acercándose en las tinieblas, pero entonces se detienen; percibo que ahora se encuentra a escasos centímetros. Me aprieto contra los tablones de madera, intentando colarme a través de los huecos. Pero es inútil. No quepo. Solo se puede salir atravesando la puerta principal.

–¿Stacey?

Me tiembla la barbilla. ¿Debo hablar? ¿Debo responder? Aferro la botella de protección tan fuerte que me parece que el cristal se va a romper.

–¿Stacey? –repite–. ¿Eres tú?

—Sí.

Enciende el foco que se halla sobre nuestras cabezas y transcurren unos segundos hasta que su imagen deja de ser una mancha luminosa con puntos negros. Y entonces caigo en la cuenta. Su forma de mirarme, ladeando la cabeza, enarcando las cejas y apretando los labios. Es él. La cara de mi pesadilla. La que vi pero no lograba recordar.

Donovan.

El boceto. La fase de la luna. La cara de mi sueño. Su constante obsesión con Drea y todas las cosas de la mochila. Es Donovan.

Se detiene en el centro de la habitación, justo debajo del foco.

—Me has dado un susto de muerte —dice—. Volví a buscarte, pero te habías ido y yo... ¿Te encuentras bien?

Rechinando los dientes, con la mandíbula rígida, consigo hacer un asentimiento.

—Me parece que no hay moros en la costa, si quieres que nos marchemos —dice

Vuelto a asentir, pero no me muevo.

—¿Y bien? —insiste—. ¿Qué pasa?

Echo los hombros hacia atrás y aprieto la botella de protección para recordar la fuerza y el poder.

—¿Dónde está Drea?

—¿Drea? —Frunce levemente el ceño, como si estuviera sinceramente confuso.

—No pienso marcharme sin ella.

—No querrás quedarte aquí, Stacey. Confía en mí. Ya sé que no somos los mejores amigos del mundo; de hecho, ni siquiera somos amigos. Pero has de confiar en mí. Es mejor que nos marchemos juntos. Ya te lo explicaré cuando hayamos llegado. Pero como te dije antes, no pienso dejarte sola aquí fuera.

Estudio su rostro en busca de algún indicio de falsedad. Pero sus ojos no titubean ni una sola vez. Permanecen clavados en los míos, haciendo que casi crea en él. *Casi.*

Una burbuja de energía explota en mi pecho.

–Dime dónde está Drea. *¡Ahora mismo!*

–Ya te he dicho que no sé de qué estás hablando, pero me parece que será mejor que te vayas antes de que sea demasiado tarde.

–Si no me lo dices –exijo– no pienso ir a ninguna parte.

–¡No! –exclama. Se abalanza sobre mí, me aferra los hombros con las manos y me inmoviliza contra la pared.

Saco la botella de protección del bolsillo, aferro la base y se la estampo violentamente en la ingle. Donovan retrocede tambaleándose y emite un breve gruñido. Pero no es suficiente. Me agarra el cuello y me aprieta la parte de atrás del cráneo contra un tablón de madera.

–Donovan –balbuceo, intentando tragar saliva, sintiendo que se tensan todos los músculos de mi cuello.

La botella de protección se me cae de los dedos.

Sus manos me aprietan con más fuerza; hasta que ya no puedo respirar, hasta que mi mundo se sume en el silencio.

Siento que mis labios se separan, mi lengua cae hacia delante y mis párpados aletean.

–Es hora de irse a casa, *¡ahora mismo!* –Me suelta el cuello y siento que se me doblan las rodillas. Y caigo al suelo. Me agarro el cuello con las manos. Toso. Jadeo. Intento llenarme los pulmones de aire.

La botella de protección está en el suelo a escasos centímetros. Sin dejar de resollar, alargo la mano para cogerla y me pongo de pie para enfrentarme con Donovan cara a cara. Siento que aprieto los dientes. Empuño la botella de protección y lo golpeo en el lado de la cabeza con todas mis fuerzas.

La cabeza de Donovan retrocede con una sacudida. Profiere un aullido, se desploma y la linterna sale disparada de su mano. La cojo y echo a correr.

Sé que solo es cuestión de tiempo que se recupere y venga a buscarme. Meto la mano en mi bolsillo intentando encontrar el teléfono móvil de Amber, pero no está ahí, solo la linternita. Me detengo, palpo los demás bolsillos y tiro del forro. No está en ninguna parte. ¿Se me habrá caído? ¿Lo habré metido accidentalmente en la mochila?

Sigo corriendo, enjuagándome el líquido de los ojos, lágrimas mezcladas con aire frío. Mis jadeos parecen todavía más estruendosos que los palos que se quiebran bajo mis pies al correr. Es como si pisara cristales rotos con el pie descalzo y herido, como si no pudiera continuar. Y entonces, justo debajo del estómago, siento una punzada, un tirón.

Tengo que hacer pis.

Alumbro mis caprichosos pasos con la linterna, cuyo haz ilumina secciones alargadas y estrechas del bosque. El impulso se hace más doloroso a cada paso. He de encontrar un lugar adonde ir. Me detengo un segundo detrás de un árbol y cruzo las piernas.

Tengo que confiar en mi cuerpo, en lo que me está diciendo, adónde me conduce. Pongo la mano entre las piernas y me resisto al impulso de darme por vencida. ¿Qué significa esto? ¿Qué puede decirme? Y entonces caigo en la cuenta al fin: mi cuerpo me está impulsando hacia el sitio donde encontraré a Drea. ST SCNDD. *Está escondida*. Drea está escondida dentro de él.

Vuelvo cojeando a la obra. He de llegar hasta allí, rescatarla y huir de este bosque antes de que Donovan nos mate a las dos.

TREINTA Y CUATRO

Encuentro el aseo portátil, una caja de fibra de vidrio de color verde apio de dos metros y medio de altura, situada justo detrás de la obra. Lo han derribado sobre un costado.

Apoyo la linterna en el suelo, contra una roca, alumbrándome. Luego me pongo en cuclillas y tanteo los lados de la caja. La puerta está de lado. Cuando tiro de ella reparo en una larga barra de acero incrustada en un orificio del tamaño de un dedo en el borde exterior de la caja, junto a la cerradura. La barra descansa sobre la rendija de la puerta, manteniendo la caja cerrada.

—Drea —susurro ante la rendija de la puerta.

No hay respuesta.

Tiro de la barra, intentando extraerla del orificio; el impulso de hacer pis se ha sofocado repentinamente.

—Drea —vuelvo a susurrar—, ¿me oyes? —Rodeo fuertemente la barra con las manos, pero mis dedos resbalan sobre el metal cada vez que tiro de ella.

Quiero llorar. Quiero vomitar. Pero no puedo hacer ninguna de las cosas. No hay tiempo. Drea depende de mí. Debo bastarme sola.

Examino el suelo. Tiene que haber algo. Una roca. Necesito una roca. Allí, en el haz de la linterna, veo una del tamaño de una pelota de *softball*. La cojo con ambas manos. La miro. Siento su gran peso y el agradable lado suave.

Vuelvo a ponerme en cuclillas, alzo la roca por encima de la cabeza y la descargo sobre el extremo de la barra. Esta se desplaza unos siete centímetros por el orificio. Aún queda medio metro.

Repito la acción una y otra vez, observando cómo la barra se aparta poco a poco de la rendija de la puerta mientras me pregunto dónde está Donovan y si puede oírme. Me tiemblan los músculos de los brazos. Solo tres golpes más. Quizá cuatro. Pero el siguiente par de veces parece que la barra no cede nada. Cierro los ojos, intento controlar mis jadeos y dirijo mi aliento a los brazos para insuflarles fuerza. Levanto la roca por última vez y golpeo el extremo de la barra. Esta resbala a través del orificio. La puerta queda libre al fin.

La abro de un tirón. Ahí está. En posición fetal. Los ojos desorbitados, como los de un gato. El pelo despeinado y sucio sobre el rostro. Gruesas tiras de cinta adhesiva sobre la boca, alrededor de las muñecas y los tobillos.

El hedor crudo y hediondo que emana de la caja me da una bofetada en la cara, me estremece el estómago. La agarro por las muñecas y la arrastro hacia la apertura. La oigo sollozar bajo la cinta. Le tiembla la cabeza como si tuviera miedo y frío al mismo tiempo. Cojo una esquina de la cinta junto a la oreja y tiro hasta destaparle la boca, desencadenando sus sollozos.

—Drea —suplico—, tienes que guardar silencio. —Miro a su alrededor. Donovan no ha llegado aún.

Toco la cinta que le rodea los tobillos buscando un extremo del que pueda tirar, pero no consigo que mis dedos funcionen lo suficientemente rápido. Drea continúa gimoteando, profiriendo sollozos gruesos y hambrientos, como si no acertase a inhalar el aire necesario. Sube y baja las rodillas, como si de ese modo pudiera despegar la cinta.

–Drea –susurro– debes quedarte quieta.

Encuentro el extremo de la cinta. Tiro de él y empiezo a desenrollar una capa tras otra alrededor de sus tobillos. Vuelvo a echar un vistazo por encima del hombro. Sigue despejado, aunque percibo que se acerca. Drea sacude los pies hacia delante y hacia atrás a medida que me acerco al final.

–Para –murmuro–. Me lo estás poniendo más difícil.

Ella gimotea aún más alto. Ya debe de habernos oído.

Le libero los tobillos de la cinta, me levanto y la cojo por los brazos para tirar de ella. No se deja. Es un peso muerto.

–Drea, vamos –imploro.

Ella baja la vista y menea la cabeza sin dejar de llorar.

–Drea, por favor. Necesito que me ayudes. Va a venir, ¿es que no lo entiendes? Ha matado a Verónica. Nosotras podríamos ser las siguientes.

Ella dobla las rodillas contra el pecho y aprieta los párpados para bloquearme. Respiro profundamente, me pongo en cuclillas, meto un brazo bajo sus rodillas y le rodeo la espalda con el otro para intentar levantarla como a un bebé.

Lucho por levantarme, apoyando todo mi peso en las piernas, pero es como si se me estuviera desgarrando la planta del pie; una sensación de ardiente comezón me atraviesa el arco del pie. Doy un paso y acabo cayéndome de espaldas; Drea se desploma sobre mí, llorando más alto.

Saco la botella de protección del bolsillo. Se la pongo entre las manos y compruebo cómo rodea la base con los dedos sucios y las yemas ensangrentadas.

–Recuerda la fuerza –susurro–. Y la seguridad.

Eso parece calmarla un poco. Las lágrimas ruedan por sus mejillas con menos energía y sus ojos se serenan hasta adoptar una expresión vacua.

Justo delante, más allá de nosotras, advierto un movimiento entre la maleza. Me zafo de Drea y agarro la linterna. Ilumino la zona, pero no veo nada. Solo queda una cosa por hacer.

Meto las manos bajo sus brazos desde atrás y empiezo a arrastrarla; ella hunde los talones de las botas en la tierra como si intentara anclarse.

La arrastro de espaldas lo más rápido que puedo, intentando mirar por encima del hombro para cerciorarme de la dirección. Busco la estrella polar en el cielo para asegurarme de que nos dirigimos al campus de nuevo, pero las copas de los árboles han bloqueado la visión, oscureciéndola. Llegamos a una zona poblada de arbustos frondosos y elevados.

Drea vuelve la vista hacia mí y su boca se arquea en un grito. Estridente. Enloquecido.

Una cuchilla se aprieta contra mi cuello, obligándome a soltarla.

–¿A que ahora te gustaría haber vuelto al campus? –susurra Donovan. Me aprisiona con una llave de cabeza, la punta de su cuchilla en mi piel.

–¡No! –grita Drea. Se lleva los brazos a la cabeza, como si quisiera taparse los oídos y bloquearlo todo, pero sus muñecas atadas hacen que le resulte imposible.

–Donovan... –La nuez de mi garganta asciende y desciende bajo su presa–. Drea... Necesita ayuda, un médico.

–Lo has hecho tú. Es culpa tuya. –Donovan me suelta la cabeza y me empuja al suelo; aterrizo estrepitosamente sobre el trasero–. ¡Las manos detrás de la espalda! –grita.

Obedezco.

Se pone en cuclillas junto a Drea, pero no me quita el ojo de encima. Le toca el lado de la cara, rozándole la mejilla con la hoja, y le levanta la barbilla para que le mire.

–Ya pasó. Todo saldrá bien.

Drea niega con la cabeza.

–Tuve que hacerlo. –Le frota las muñecas atadas–. ¿No lo entiendes? –Se agacha aún más para estudiarla; los ojos enrojecidos y llorosos, las vetas de rimel negro seco que corren por sus mejillas, los trozos de tierra que le rodean la boca blanca y pastosa y cómo se mece hacia de atrás hacia delante, llorando, jadeando en busca de aire–. Tuve que atarte de esta forma; dijiste que querías irte. Tuve que obligarte a escucharme; tuve que obligarte a entenderlo.

Hay una larga rama con forma de tridente tirada justo fuera de mi alcance. Concentrándome en Donovan, me incorporo estirando la columna vertebral, intentando acercarme poco a poco a ella.

–Te amo, Drea –continúa Donovan–. Por eso planeé todo esto. La casa, el picnic, los lirios. –Sonríe, como si la explicación la complaciera–. Solo te escondí porque no quería que nadie te encontrara. ¿No entiendes que eso lo habría estropeado todo? Si vuelves conmigo a la casa te enseñaré todo lo que había planeado. Te enseñaré el lugar donde he cavado tu nombre, donde he plantado bulbos de lirios para formar las letras.

La respiración de Drea empeora cuanto más le habla, está jadeando.

–Donovan –digo–, sé que quieres lo mejor para ella. Pero se está congelando. Le cuesta respirar. Necesita un médico.

–¡No! –grita Donovan. Me apunta a la cara con la cuchilla y le tiembla la mano de rabia–. No hasta que lo entienda. –Vuelve a concentrarse en ella pero mantiene la cuchilla en el aire, apuntándome–. Yo me ocuparé de ella. Soy el único que sabe cómo hacerlo.

Alargo la pierna para intentar alcanzar la rama con el pie.

–Te amo, Drea. –Le acaricia la mejilla–. Y sé que tú también me amas. Te encantaba hablar conmigo... por teléfono, nuestras largas conversaciones. –Sus ojos llorosos y desesperados esperan su respuesta, su afirmación.

El llanto de Drea aumenta de volumen y se vuelve más forzado a cada bocanada. Se acurruca más y sigue meciéndose hacia delante y hacia atrás.

–¿Qué te pasa? –grita Donovan–. ¿Por qué no dices nada? ¿Por qué no dice nada? –Se vuelve para mirarme encolerizado por encima de la hoja.

–Has matado a Verónica –respondo–. La llamabas y le enviabas notas y lirios igual que a Drea.

Donovan niega con la cabeza.

–Fue un accidente. Se enteró de mi idea de sorprenderla y lo retorció todo para satisfacer sus propias necesidades. –Donovan hunde el cuchillo en la tierra repetidamente–. Quería asustarte, Drea. Quería fingir que la estaban acosando y después desaparecer para que pensaras que le había pasado algo horrible. Pensaba que si te asustabas lo suficiente, dejarías el campus y ella conseguiría tener a Chad.

Observo el cuchillo que se hunde en la tierra una y otra vez; observo sus hombros y me pregunto si podré abalanzarme sobre él y sujetarle el brazo. Me desplazo un poco hacia la izquierda, acercándome a la rama.

Sus ojos siguen concentrados en Drea, intentando convencerla.

–Tuve que detenerla, Drea –continúa–. No quería hacer lo que hice. Tienes que creerme. Yo no soy así. Tú sabes que no soy así. Ella quería asustarte para que te fueras del colegio. ¿Es que no lo entiendes? No podía dejar que lo hiciera.

Continúa apuñalando el suelo, mientras la hoja se acerca cada vez más a su rodilla. Es casi como si la amara de verdad. Por lo menos cree que lo hace. De modo que quizá fuera eso lo que intentaban decirme mis pesadillas. Quizá el amor sea en realidad sorprendente. Sorprendente por raro. Quizá sea incluso estrambótico. Miro a Drea, que sigue meciéndose hacia delante y hacia atrás con una mirada vacua.

Donovan aspira una bocanada y se entierra la hoja del cuchillo en la rodilla, penetrando en la piel, provocándose un tajo sangrante. Extrae el cuchillo con un leve estremecimiento pero continúa apuñalando el suelo como si no le importara, como si no lo sintiera. Quiere que Drea le responda y le diga que serán felices para siempre. Ni siquiera estoy segura de que ella lo esté escuchando.

Acerco lentamente la rama con la planta del pie, doblando levemente la rodilla, empapándome el calcetín de sangre.

–Ella no era buena, Drea –implora Donovan–. Dijo que eras una guarra.

Separo las manos detrás de la espalda. La rama ya está a mi alcance. La agarro y Donovan se da cuenta.

–¿Qué estás haciendo? –grita.

Me levanto y descargo la rama sobre la mano con la que Donovan sostiene el cuchillo. Pero en lugar de soltarlo intercepta el golpe y me arrebata la rama.

Se levanta, quiebra la rama sobre su rodilla en dos sitios y arroja los fragmentos a un lado.

Busco alrededor algo con lo que protegerme. Hay una roca a la derecha. Me dirijo hacia ella pero Donovan me agarra y me empuja, y me golpeo la espalda contra un árbol. Me sujeta las muñecas con la mano, las levanta por encima de mi cabeza y me aprieta el cuchillo contra la mejilla.

–Te crees más lista que yo, ¿verdad? ¿Verdad?

Niego con la cabeza.

Traza una línea con la hoja por mi mejilla y mi barbilla y me pincha la garganta con la punta.

–¡No! –grita Drea.

Miro por encima del hombro de Donovan. Drea está de pie con los dedos fuertemente entrelazados alrededor de la botella de protección.

Donovan retrocede un paso para mirarla.

–¿Drea?

–¡No! –exclama ella, negando con la cabeza.

Donovan afloja su presa sobre mis manos.

–¿Drea? –Vuelve las caderas en su dirección. Me suelta las manos pero me mantiene inmovilizada con el cuchillo.

Dejo que mis brazos desciendan poco a poco, le agarro la mano que sostiene el cuchillo y la muerdo violentamente, atravesando la piel. Él emite un gemido ronco y gutural y suelta el cuchillo.

–¡Drea! –grito.

Ella forcejea para asir el cuchillo, lo consigue y lo empuña enérgicamente junto con la botella de protección.

–Dámelo, Drea –digo.

Ella en cambio apunta a Donovan con la hoja.

Donovan extiende el brazo hacia ella, como si quisiera tranquilizarla y recuperar el cuchillo.

–Drea –dice–, ten cuidado con eso. No sabes lo que estás haciendo.

–¡No! –susurra Drea, con el cuchillo temblando en sus manos–. Abajo. Siéntate.

Donovan hace ademán de sentarse, pero entonces se abalanza sobre ella, le aferra la muñeca y le arranca el cuchillo de las manos.

Cuando me vuelve la espalda me adelanto un paso hacia él, me pongo de perfil para asestarle una patada con el pie calzado y hundo el talón con todas mis fuerzas en la parte posterior de su pierna. El cuchillo sale volando de su mano. Donovan cae de rodillas. Me muevo para apoderarme del cuchillo justo antes de que sus dedos lo cojan.

–Alto. –Esa es la palabra que refulge en mi mente, pero no soy yo quien la pronuncia. Alzo la vista.

Es la agente Tate. Emerge de un grupo de árboles frente a nosotros y conduce a varios agentes en nuestra dirección. Se dirige directamente hacia mí.

–Suelta el cuchillo y apártate –ordena.

Lo hago, sabiendo que al fin estamos a salvo.

La agente Tate le atenaza las muñecas a Donovan con un par de esposas plateadas y le lee sus derechos. Otro agente se quita la chaqueta para envolverle los hombros a Drea con ella. Hace además de quitarle la botella de protección, pero ella retrocede. Entonces se limita a desenrollarle la cinta de las muñecas.

Yo me quedó allí plantada, observando, aliviada por no tener que luchar más.

Donovan le lanza una última mirada a Drea antes de que la agente Tate se lo lleve.

Es la misma mirada que siempre le dedica, intensa y anhelante, como si realmente creyera que la ama. Como si fuese a volver algún día para demostrarle cuánto.

Me acerco a Drea y la abrazo.

–Lo siento –dice.

–Yo también lo siento.

Cierro los ojos y la estrecho contra mí, siento que sus dedos me tocan la espalda y después me aprietan para devolverme el abrazo. Durante apenas un instante, imagino a Maura entre mis brazos.

–Gracias –le susurro al oído.

–Gracias a *ti* –me responde ella.

Niego con la cabeza, dando las gracias por que Drea esté a salvo, pero también porque mi auténtica pesadilla ha acabado al fin.

TREINTA Y CINCO

Tres meses más tarde, justo antes de las vacaciones de febrero y justo después del juicio, Drea ha regresado al campus para testificar. Acabó volviendo a casa inmediatamente después del arresto de Donovan y ha dedicado este tiempo a sobreponerse y tratar de comprender lo que parece imposible.

Ahora que ha vuelto y las cosas se han calmado un poco, Amber, Chad, PJ y yo hemos planeado una especie de reunión en El Ahorcado.

A nadie parece sorprenderle que fuese Donovan quien acosaba a Drea. Todo el mundo sabía que estaba loco por ella... literalmente. Lo único sorprendente para mí es que Verónica estuviera implicada de verdad, que un ridículo plan para conseguir a un chico pudiera terminar con su propia muerte.

Resulta que yo tenía razón al sospechar sobre la historia del acosador de Verónica. Como dijo Donovan, a Verónica no la estaban acosando en absoluto. Pero se enteró de que a Drea sí y quiso asustarla. Fundamentalmente, se había propuesto abandonar el campus para irse dos semanas de safari con sus padres, un viaje del que casualmente no le había hablado a Drea ni a nadie. Lo que no es tanta casualidad es que pretendía irse de viaje la mañana después de que el acosador fuese a por ella, según había dicho. En pocas palabras, quería que Drea se subiera por las paredes hasta que se le fuera la olla o se marchara del campus; básicamente, un presagio de lo que había de sucederle a ella.

Es tristísimo.

Pero es igual de triste que Donovan perdiera los estribos cuando llegó a sus oídos el rumor de que Verónica y Drea estaban siendo acosadas por la misma persona. Él fue quien introdujo la nota que decía: OCÚPATE DE TUS ASUNTOS, en el buzón de Verónica junto con el pañuelo de Drea. Resulta que Donovan adjuntó el pañuelo a la nota como una suerte de firma simbólica, de modo que Verónica supiera que era del acosador de Drea, para que se la tomara en serio y se retractara de su historia. Darle el pañuelo a Verónica también introducía una posesión de Drea en la habitación de Verónica, de modo que, como sugirió el fiscal, si algo le pasaba a Drea, Donovan podría culpar a alguien de ello.

Es astuto de una forma retorcida, supongo.

La nota y el pañuelo consiguieron atemorizar a Verónica, razón por la que nos dijo que ya no quería tener nada que ver con el asunto del acosador. Pero por desgracia el rumor no se extinguió. Lo que no hizo sino cabrear a Donovan aún más. Utilizando la cuenta de email de Chad, tal como había hecho para enviarle a Drea "La casa de Jack", atrajo a Verónica hasta el colegio para hacerle frente a propósito de la historia del acoso, pero acabó matándola; accidentalmente, juró él.

Y el jurado le creyó.

También le creyeron cuando aseguró que nunca se había propuesto hacerle daño físico a Drea. El acoso, como afirmaron su abogado y él mismo, era una forma de acercarse a ella. Y cuando le pareció que Drea se encontraba cómoda hablando con el misterioso personaje que la llamaba por teléfono, Donovan empezó a confundir su relación y se volvió posesivo, enfadándose y poniéndose celoso cuando ella hacía planes con Chad. Él fue quien se llevó la camiseta de hockey de Chad de nuestra ventana aquella noche y la metió en su buzón junto con la nota que decía: ALÉJATE DE ELLA. TE ESTOY VIGILANDO. También fue quien robó nuestra colada de la lavandería. Cuando vio el pañuelo y el sujetador de Drea en lo alto del montón, se limitó a llevárselo todo con la esperanza de encontrar más reliquias de Drea que añadir a su colección.

La noche en que Drea fue secuestrada, después de salir del hospital, cuando Amber y PJ la dejaron frente a la residencia, Donovan la estaba esperando. Le dijo que necesitaba contarle algo, de modo que fueron a dar un paseo. Básicamente, la llevó a la obra, su idea de un sitio romántico, y le profesó el amor imperecedero que sentía por ella. Ella se asustó y acabó diciéndole que quería volver a la residencia.

Donovan dijo que no, la raptó, pero después se asustó y no supo qué hacer cuando ella no pareció complacida con sus planes para ser felices por siempre; en eso se basó la defensa de que sus actos no fueron premeditados.

Irónicamente, Donovan escogió los lirios simplemente porque le gustaban y pensaba que su encanto y su elegancia representaban bien a Drea. Y el email de "La casa de Jack" no era más que un pequeño acertijo, un presagio, en resumidas cuentas, del encuentro romántico que había planeado para ambos.

Cuando me vio en el bosque buscando a Drea la noche siguiente, sucumbió al pánico y se inventó la historia falsa de que alguien nos estaba siguiendo y que no lograba que funcionase su teléfono móvil. Temiendo que viese a Drea en la obra, me ordenó que no me moviera, urdió la excusa de ir a echar un vistazo y ocultó a Drea en el aseo portátil.

Al final lo acusaron de homicidio involuntario, le diagnosticaron enajenación mental transitoria y lo enviaron a un reformatorio para chicos con desórdenes mentales. Sin embargo, parece injusto que lo liberen dentro de apenas cinco años, cuando cumpla veintiuno. Verónica estará muerta para siempre.

Después del arresto, la agente Tate me echó un largo sermón sobre meterme donde no me llaman, alegando que había sido una temeridad internarme sola en el bosque, que podía haberlo puesto todo en peligro, incluyendo el caso. Pero también me dio las gracias, me dijo que era muy valiente y me prometió que nunca volvería a subestimar el instinto humano natural.

Ni yo tampoco.

Así que ahora, después del juicio, el colegio se ha prestado a complacernos dejándonos cerrar El Ahorcado para celebrar nuestra despedida privada y facilitándonos una reserva ilimitada de café. Hemos decorado la sala lo más alegremente posible. Chad y PJ han colgado serpentinas rosas y amarillas alrededor del perímetro, mientras que Amber y yo hemos fabricado rosas que decoren los centros de mesa, amontonado, juntado y arrugando tiras de papel crepé. El colegio hasta nos ha prestado la máquina de helio para inflar los globos que hemos atado a todas las sillas.

No se trata de una fiesta sorpresa; no es más que una ocasión para reunirnos todos antes de que Drea se marche. Va a pasar el resto del curso en su casa, con tutores privados y consejeros de familia, para reincoporarse en el último curso.

Sé que voy a echarla de menos más que a nada, pero al menos no tendré la habitación para mí sola. Madame Descarga ha accedido a dejar que Amber se instale. Siempre y cuando, como dice Amber, deje de mearme en la cama. Pero no he tenido accidentes ni pesadillas desde el día anterior a la muerte de Verónica.

–¿Le hemos comprado un regalo de despedida? –pregunta PJ, cuya voz está alterada por el helio.

–Menos mal que no hemos contado contigo para eso –dice Amber, llenándose el jersey con dos globos para admirar su generoso perfil en el reflejo de la ventana–. ¿Qué te parece? –Apunta los globos en su dirección y arquea la espalda para lucirlos.

–No hay nada como la realidad, nena –canturrea PJ, y le tira un beso.

Amber sonríe y se quita los globos. Los dos han pasado mucho tiempo juntos estas últimas semanas, como si la tensión del juicio los hubiera unido de algún modo, como si les hubiera hecho darse cuenta de lo que es realmente importante. Creo que nos ha hecho lo mismo a todos.

Como regalo de despedida para Drea hemos reunido dinero para comprarle un flamante diario nuevo, como si fuera un nuevo comienzo en la vida, y una caja de dos kilos de bombones Godiva, solo para casos de emergencia. También he envuelto la botella de protección, que sigue intacta.

–¡Aquí está! –exclama Chad.

Chad ha sido realmente estupendo durante toda esta experiencia. Asistió al juicio todos los días y llamó al hotel de Drea todas las noches, hasta tomó apuntes extra y se mantuvo al corriente de los deberes de clase mientras ella estaba en casa; incluso de las clases que ni siquiera tomaba. Lo que resulta sorprendente, hasta para mí, es que eso no me puso celosa. Solo me hizo comprender que es una persona asombrosa.

–¡Ay, Dios mío! –gime Drea cuando entra–. No teníais por qué hacer todo esto.

–Stacey nos ha obligado –responde PJ, pasándose los dedos por los pinchos del pelo rojo cereza.

Pasamos las horas siguientes riendo y bromeando sobre los buenos ratos que hemos pasado, antes de que empezase lo de Donovan. Chad menciona la ocasión en que Drea, Amber y yo nos escabullimos de la residencia, fuera de horas, para ir al cine en pijama. Y después PJ nos imita a todos, Amber tirándose de los leotardos; Chad el perezoso; Drea la dramática; y yo, la amiga psíquica que acabará abriendo una línea caliente de veinticuatro horas. Por supuesto, correspondemos a sus atenciones burlándonos de su pelo y de sus asquerosos mejunjes.

Después de que Drea haya abierto sus regalos y nos hayamos comido la última galleta de jenjibre, PJ y Amber le dan un beso de despedida y se marchan solos arrastrando los pies, cogiéndose de la mano.

Chad se vuelve hacia Drea.

–Si quieres te acompaño.

–¿Puedes concederme un segundo con Stacey? –pide Drea.

Chad asiente al tiempo que recoge un montón de platos sucios de la mesa y se los lleva.

Drea se concentra en la botella de protección que sostiene entre las manos.

–Así siempre estarás segura –digo.

Nos abrazamos, un apretón largo y pleno, y me esfuerzo por no llorar.

–Iré a visitarte este verano –aseguro.

Drea asiente y se vuelve hacia la cocina, donde Chad está amontonando los platos.

–Es un tío genial, ¿sabes?

–Lo sé.

–Él también piensa que eres estupenda –añade–. Me lo ha dicho. Me lo dice constantemente. Hemos pasado mucho tiempo juntos estas últimas semanas. Ha sido bueno ser solo amigos. Más sencillo. Mejor. Y como amiga de los dos, creo que os debéis a vosotros mismos intentarlo.

–¡¿Drea?! –Una carcajada nerviosa semejante a una gárgara brota de mi garganta.

–Os quiero a los dos. –Se inclina hacia delante y me besa la mejilla.

* * *

Chad ayuda a Drea a meter las últimas bolsas en el coche de sus padres, que está aparcando esperándola justo delante. Nos quedamos fuera, despidiéndonos por última vez, prometiendo llamarla, escribirle emails y visitarla. Luego sus padres se la llevan.

Y solo quedamos Chad y yo.

–En fin –dice–, supongo que solo quedamos nosotros.

–Supongo que sí.

Alarga la mano y yo se la cojo, y parece que ha llegado la Navidad a la palma de mi mano con un cálido cosquilleo.

Dejamos atrás El Ahorcado, ignorando el desorden del interior, como si ponernos a limpiar ahora fuese realmente a poner término al día, que es lo último que desea cualquiera de nosotros dos. Nos desviamos junto al árbol donde nos besamos por primera vez y nos sentamos bajo él.

Me reclino contra el tronco para inhalar la brisa invernal, fría, fresca y estimulante. Me hace sentir hermosa. La forma en que el viento me echa el pelo hacia atrás. El olor de la corteza mezclado con el frío del aire. Me alegro de irme a casa para pasar las vacaciones de febrero. Tomarme un respiro. Volver a ver a mamá. Empezar de nuevo.

–¿En qué estás pensando? –pregunta Chad.

–En lo feliz que soy –digo–. Y en el *déja vu*.

–¿*Déja vu*?

–Ya sabes. Que ya hemos pasado por esto. Tú y yo, otra vez aquí.

–Pues supongo que para que esto fuera auténtico *déja vu*, tendría que volver a besarte.

Asiento, pero esta vez soy yo quien lo besa. Un beso delicioso y sensual como el wasabi picante, que hace que salten todas las alarmas.

Seguimos besándonos, hablamos y reímos hasta bien entrada la noche, cuando la luna llena ha hecho su aparición y la estrella más brillante se ha ido a la cama detrás de las nubes.

Ahora me siento más fuerte que nunca. No por Chad ni por que volvamos a encontrarnos debajo de este árbol. No por haber salvado a Drea ni por haber visto a Donovan entre rejas. Sino porque sé que no importa cuántas pesadillas tenga en el futuro, por fin puedo confiar en mí misma.

FIN

AGRADECIMIENTOS

En primer lugar quiero darles las gracias a los miembros de mi equipo de escritores, Lara Zeises, Steven Goldman y Tea Benduhn, que me apoyaron y me animaron mientras elaboraba los numerosos borradores de esta novela. Vuestra amistad, vuestros consejos y vuestras críticas minuciosas han sido muy valiosas. Han hecho que *Azul* fuese una mejor novela, y yo, una mejor escritora.

Ed, creo que debes de haber leído por lo menos noventa y siete borradores de esta novela. No puedo agradecerte lo suficiente tu amistad, tu amor, tu paciencia y tu apoyo.

He tenido la suerte de contar con algunos profesores que me han inspirado mucho. Le doy las gracias a Lisa-Jahn Clough por aconsejarme, apoyarme y ayudarme a cultivar mi gusto por la escritura y la literatura juvenil. También le doy las gracias a Jessica Treadway, quien me alentó y creyó en mis manuscritos desde el primer momento. Creo sinceramente que si no hubiera sido por su apoyo, tal vez jamás me habría dedicado seriamente a mi pasión por escribir.

Gracias a las editoras de Llewelyn, Megan Atwood y Becky Zins, que me han ofrecido tantos consejos editoriales útiles a través de sus comentarios y su entusiasmo por *Azul,* y que han creído en Stacey y su pandilla lo bastante para encargarme una secuela.

Gracias a los muchos otros amigos y familiares que han leído fragmentos y/o borradores de esta novela durante sus numerosas versiones: mamá, Lee Ann, Delia, Sara, Haig y todos los miembros de la clase de YA de Lisa.

Gracias a la teniente Fran Hart del departamento de policía de Burlington, Massachussetts por responder a todas mis preguntas policiales sobre *Azul*. Gracias también a la doctora Kathryn Roxrode por responder a las preguntas médicas.

Por último, gracias a mi madre por su apoyo y su amor infinito, por enseñarme a leer las cartas y por transmitirme algunas historias y remedios caseros de su madre y de las generaciones de mujeres que la precedieron.

Libro de
Hechizos

Entrevista a LFS

Laurie Faria Stolarz

¿A qué edad empezaste a escribir? ¿Siempre has contado historias?

Escribo desde antes de que pudiera sostener un bolígrafo. De niña contaba historias sin cesar a cualquiera que estuviera dispuesto a escucharme. Cuando mi familia se hartaba de mi interminable retahíla, les contaba cuentos a los niños del barrio, fingiendo a menudo que las historias eran auténticas. También escribía guiones para mis muñecas y obligaba a la gente a ver las actuaciones. Mi pasión por crear historias continuó en el colegio, cuando me pedían que escribiera un párrafo o una redacción breve sobre lo que había hecho durante las vacaciones. Siempre creí que mi propia vida no era suficientemente divertida, de modo que me inventaba historias sin cesar.

Empecé a trabajar en *Azul para las pesadillas* en los cursos de posgrado. Fue en un taller de novela para adolescentes en el Emerson College que impartía la escritora e ilustradora Lisa Jahn-Clough. Recuerdo que al principio del semestre cada uno de los miembros de la clase teníamos que ir describiendo la idea que teníamos para el argumento. El resto de los alumnos tenían ideas asombrosas para novelas innovadoras, pero lo único que yo tenía claro en aquella primera fase, y lo que acabé explicando cuando llegó mi turno, fue que quería que la novela fuese "jugosa". Sabía que quería crear un personaje con quien los lectores pudieran identificarse, alguien que tuviera defectos, que no fuera la niña más lista del colegio, ni la más graciosa, la más guapa o la más popular, y quería que tuviera secretos. Cuando era joven yo no leía mucho, aunque me encantara contar historias. Para mí, un libro debía mantener verdaderamente vivo mi interés y conseguir que no deseara otra cosa que pasar las páginas; de lo contrario dejaba de leer. Acabé interesándome por los misterios. Pensé en eso antes de escribir mi primera novela juvenil. Quería que estuviera dirigida a los chavales como yo, que no siempre disfrutan leyendo. Quería conseguir que les encantaran los libros. *Azul para las pesadillas* es el resultado de eso. Es algo con lo que yo habría disfrutado de joven.

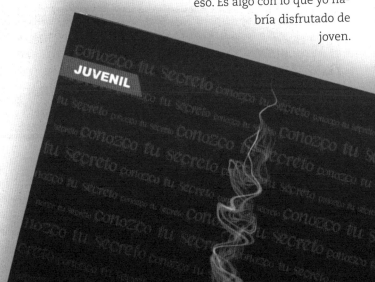

JUVENIL

Stacey Brown es un personaje único, en efecto. Por un lado es una bruja por herencia con ciertas capacidades psíquicas, pero por otro es, asimismo, una adolescente normal con los problemas que corresponden a los adolescentes. Cuando la creaste, ¿qué fue primero, la bruja o la adolescente? ¿Tomaste como modelo a alguien a quien conocías?

Primero fue la adolescente. El hecho de que además sea una bruja por herencia es algo accidental. Como no tenía ni idea del tema sobre el que deseaba escribir, aparte de que el libro debía ser un "misterio jugoso", mi protagonista (Stacey) realmente ignoraba lo que estaba haciendo en aquellas primeras páginas. En clase hice un ejercicio de escritura libre con una escena en la que Stacey meditaba ante una vela azul. En aquel momento la escena no tenía mucho sentido, sencillamente ella se concentraba en su propia respiración y en el color de la vela. También estaban bastante presentes los detalles sensoriales, como el olor de la cera y la atmósfera de la habitación. Al resto de los alumnos les gustó mucho la escena y me animaron a que la llevara un paso adelante, cosa que hice.

No tomé como modelo a nadie en concreto, si bien las dos nos parecemos en muchos aspectos. Además, las dos teníamos una abuela que tenía premoniciones y que empleaba remedios caseros. Y ambas llevamos el anillo de amatista que ella nos regaló, con nuestras iniciales grabadas en el interior.

El carácter de Stacey posee cierta determinación y coraje que encuentro realmente interesantes. A pesar de su extraordinario don para predecir el futuro en sus sueños y de los conjuros que conoce, con mayor frecuencia son la valentía y la fuerza de voluntad, no los conjuros ni la PES*, las que la salvan cuando las cosas se complican. ¿Crees que eso forma parte del encanto de Stacey?

Así lo espero. Era una cuestión de suma importancia para mí a la hora de escribir estos libros. Quería que Stacey fuera una adolescente corriente con la que los demás pudieran identificarse. Quería que los conjuros y la magia popular formaran parte de ella, pero no que la "salvaran" ni resolvieran sus problemas. Quería que creciera como una adolescente común y aprendiera por las malas. No sería tan accesible si la magia le sacara las castañas del fuego constantemente.

*N. del T.: percepción extrasensorial.

Parece que Stacey no se preocupa especialmente por ser popular. Al parecer lo que más le importa es rodearse de sus amigos (y protegerlos). Me pregunto si acaso eso se debe en parte a que ya ha pasado por situaciones trágicas en la vida, como por ejemplo la muerte de su abuela o el asesinato de Maura. ¿Eso la convierte en una persona que tiene los pies en la tierra?

Creo que sí. Se vio obligada a sobrellevar la culpa por la muerte de Maura y me parece que eso fue como tomarle el pulso a la realidad, algo mucho más importante que ser popular. Cuando se trata de la vida o la muerte, que te nombren reina del baile de graduación desciende muchos puestos en tu lista de prioridades.

A veces la relación de Stacey con su madre es complicada. Es evidente que la quiere, pero al mismo tiempo se siente frustrada por ella y no la entiende del todo. ¿Te habías propuesto que Stacey tuviera una relación tan compleja con su madre?

Así es. Se trataba sencillamente de otro ingrediente para conseguir que Stacey fuera accesible. Los adolescentes no siempre están de acuerdo con sus padres; es normal, forma parte del proceso de crecimiento. Me encanta la escena de *Blanco para la magia* en la que Stacey y su madre se encuentran en una habitación de hotel. Stacey siempre ha creído que su madre y ella no podían ser más distintas, pero en seguida nos damos cuenta (incluida Stacey) de que en realidad se parecen mucho. Lo que tienen en común es precisamente lo que provoca los conflictos.

Una de las cosas que más me gustan de la novela es que Stacey tiene una combinación de amigos verdaderamente interesante. Amber, Drea y Stacey forman un trío magnífico cuando hace falta, pero asimismo tienen personalidades muy distintas y discrepan y discuten, aunque al mismo tiempo se lleven bien. Sin embargo, resulta evidente que se preocupan mucho las unas por las otras. ¿Era algo importante para ti crear un grupo de amigos que fuera heterogéneo y complicado?

Sí. Quería que los personajes estuvieran claramente definidos y que fueran muy accesibles, cada uno a su manera. Creo que todo el mundo conoce a una Drea y a una Amber. Esta también aporta cierto toque humorísico a la novela cuando la cosa se pone demasiado intensa.

Siguiendo con sus amigos, ¿qué pasa con PJ? Es uno de los chicos más singulares sobre los que he leído. ¿Te divertiste dándole vida? Y, ¿qué hay entre Amber y él?

Fue muy divertido darle forma. En gran medida es la versión masculina de Amber. Disfruté mucho llevándolo al límite. Aun así, debo decir que solo dejé una o dos tonterías de cada diez o más que decían Amber o él. Fue un trabajo laborioso reescribir sus personajes para que fueran graciosos pero no demasiado. Cuadraba a la perfección que formasen una pareja.

> ¿Cómo se te ocurrieron los conjuros de Stacey? Al fin y al cabo, no se trata de conjuros normales y corrientes. La magia de Stacey parece muy práctica y asequible. No emplea cartas sofisticadas para desvelar los avatares del destino (los naipes corrientes funcionan) y casi siempre utiliza ingredientes de cocina. Parece que lo más importante es la voluntad de Stacey, no los ingredientes en sí mismos.

Para mí era importante que la magia de Stacey no fuera un mero encantamiento. Quería que fuera tangible, algo que pudiese hacer cualquiera. Gran parte surgió adornando los remedios y las prácticas caseras que se han transmitido de generación en generación en algunas familias, incluida la mía, como leer las cartas, por ejemplo. Empecé a preguntarle a todos mis conocidos qué tipo de remedios caseros y supersticiones había en sus familias. Y sí, me parecía importante que la solución de los problemas de Stacey no radicara sencillamente en esos ingredientes ni en la magia, sino en el hecho de servirse de ella para ahondar en su propio interior y de ese modo hallar la solución.

> ¿Dedicaste mucho tiempo a documentarte sobre la wicca cuando creaste a Stacey, o te basaste más bien en tu experiencia personal?

En efecto, dediqué mucho tiempo a documentarme sobre la wicca y la brujería, y de ese modo comprendí que quería que Stacey practicase una rama de la brujería que fuese más espontánea y familiar, una especie de magia popular.

Bru•je•rí•a:

sust.
Práctica de la magia, esp. de la magia negra; empleo de conjuros e invocaciones a los espíritus.
VER: **WICCA.**

Wic•ca:

sust.
Culto religioso a la brujería moderna, esp. tradición iniciática fundada en Inglaterra a mediados del siglo XX que afirma que sus orígenes se remontan a las religiones paganas precristianas.

HILLCREST SCHOOL NEWS

Hay muchos libros para adolescentes ambientados en colegios privados, pero no es muy común que este sea un internado como Hillcrest. Sin embargo, admito que presenta una serie de ventajas a la hora de contar una historia. Sin duda reduce al mínimo el número de adultos y les proporciona a Stacey y compañía mucho más tiempo al caer la noche, que entre otras cosas, aprovechan para escaparse a hurtadillas de las instalaciones. ¿Estuviste en un internado, o creaste Hillcrest de la nada?

No, no fui a ningún internado, pero tienes razón, es indudable que utilizarlo como escenario de la novela presenta la ventaja de mantener a raya a los adultos. El ambiente de Hillcrest se inspira vagamente en el campus de mi universidad, Merrimack College, en North Andover (Massachusetts).

Muchas de las dificultades que se presentan en la novela son provocadas por los adultos (profesores, policías y padres) que no confían plenamente en los adolescentes cuando éstos afirman que está pasando algo raro. Esto resulta frustrante en la vida real y también para Stacey, pero al mismo tiempo redunda en beneficio de la ficción, pues significa que los protagonistas adolescentes deben resolver sus problemas por su cuenta. ¿Ese es uno de los aspectos divertidos de escribir literatura juvenil?

Creo que el hecho de que los adolescentes se sientan subestimados e incomprendidos por los adultos no es más que otra forma de darle un carácter auténtico y accesible al contenido. Me parece que a menudo los adultos se consideran más listos que los adolescentes y creen que saben lo que más les conviene. En esos casos ambas partes reconocen el conflicto.

¿Qué libros te inspiraban y te emocionaban cuando eras una adolescente? ¿En esa época tenías claro que querías ser escritora?

Stephen King, Lois Duncan, Carolyn Keene, Joan Lowery Nixon y Robert Cormier. Tenía claro que me encantaba escribir y contar historias, pero nunca imaginé que llegaría a ser escritora. Había planeado ir a la universidad, matricularme en empresariales y hacer algo práctico. Nunca me había planteado esta opción. Tengo mucha suerte.

Me encanta la posibilidad de conectar con los lectores, conocerlos
en las firmas de libros y los eventos. Y me encanta leer sus cartas
y sus emails. Cuando escuchas que los libros les han llegado en
cierta medida, les han impactado o les han dado fuerza, es algo
incomparable. Sinceramente, no puede haber nada mejor. Además, el hecho de escribir para los adolescentes me proporciona
una excusa para ver la MTV o leer *Teen Vogue* regularmente. Al fin
y al cabo, forma parte de mi trabajo de documentación. :)

Estoy verdaderamente agradecida por que los adolescentes disfruten con mi obra. No doy el éxito por sentado en absoluto, y me
recuerdo continuamente la suerte que tengo. Para mí, lo mejor de
ser escritora es tener la oportunidad de establecer contacto con
los lectores, poder conocerlos y saber de ellos. Y tener la oportunidad de corresponderles e inspirarlos es para mí igualmente
relevante y gratificante.

SAN ANTONIO TX 782

29 MAY 2007 PM 5 T

Laurie Faria Stolarz

2143 Woodale Dr.

CONJUROS Y POEMAS

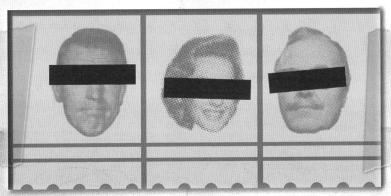

creados por lectores
como tú

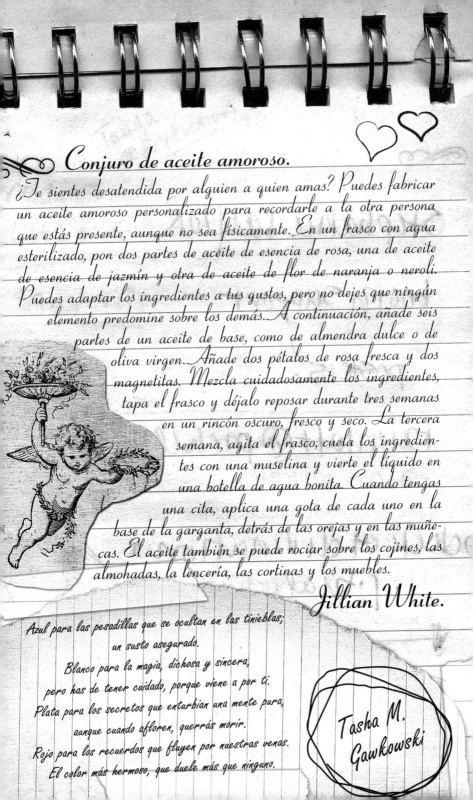

Conjuro de aceite amoroso.

¿Te sientes desatendida por alguien a quien amas? Puedes fabricar un aceite amoroso personalizado para recordarle a la otra persona que estás presente, aunque no sea físicamente. En un frasco con agua esterilizado, pon dos partes de aceite de esencia de rosa, una de aceite de esencia de jazmín y otra de aceite de flor de naranja o neroli. Puedes adaptar los ingredientes a tus gustos, pero no dejes que ningún elemento predomine sobre los demás. A continuación, añade seis partes de un aceite de base, como de almendra dulce o de oliva virgen. Añade dos pétalos de rosa fresca y dos magnetitas. Mezcla cuidadosamente los ingredientes, tapa el frasco y déjalo reposar durante tres semanas en un rincón oscuro, fresco y seco. La tercera semana, agita el frasco, cuela los ingredientes con una muselina y vierte el líquido en una botella de agua bonita. Cuando tengas una cita, aplica una gota de cada uno en la base de la garganta, detrás de las orejas y en las muñecas. El aceite también se puede rociar sobre los cojines, las almohadas, la lencería, las cortinas y los muebles.

Jillian White.

Azul para las pesadillas que se ocultan en las tinieblas;
un susto asegurado.
Blanco para la magia, dichosa y sincera,
pero has de tener cuidado, porque viene a por ti.
Plata para los secretos que enturbian una mente pura,
aunque cuando afloren, querrás morir.
Rojo para los recuerdos que fluyen por nuestras venas.
El color más hermoso, que duele más que ninguno.

Tasha M. Gawkowski

En ese lugar que me separa
de los sueños,
donde se extienden las
murallas de plata y gris.

Saludo a la noche y me
despido del día.

La luz de las velas
me ayuda a ver
a los niños que hay
en mi cabeza,

a los monstruos que hay
en mi cama,

a los reyes de los duendes
y las cosas secretas.

Saludo a la noche y me
despido del día.

La luz de las velas me ayuda
a ver de este modo.

Cae la oscuridad y la llama
de la vela
da vida al sueño recurrente
de mentiras brumosas
y ojos cerrados.

¡Azul! ¡Libera mi cuerpo!
¡Aflige mis pensamientos!

La noche y yo somos iguales.

Y en mi sueño vislumbro
todas las sombras,
las tinieblas de los bosques
y las ventanas que se abren
al abismo.

Llevando la verdad como
una corona de espinas,
en mi interior aflora
y se derrumba.

Sara Cordova.

Estudiante de profesión,
bruja de corazón.
Un legado de magia,
y conjuros a la carta.

Pesadillas tan reales
que siento el aliento de alguien
advirtiéndome, entre susurros, de
una desgracia inminente.

Lirios blancos bordean
la tortuosa senda,
señalando el camino que conduce
a la cólera maligna.
Las cartas muestran el as de picas
condenando a mi amiga
a sus últimos días.

Notas escritas en tinta roja,
y los fantasmas del pasado
pueblan mi cabeza.
Obedezco a la intuición
de mi corazón.
Las llamas de la traición
titilan en la penumbra.

Huyo del dolor por la amiga perdida,
sabiendo que tal vez
la pesadilla no acabe nunca.

Por S.R. Johannes.

Conjuro para la serenidad
de Haley Kral.

Solo hace falta una vela azul
y un sitio tranquilo.

Cuando estoy estresada o discuto con mi novio, realizo este conjuro para sentirme mejor y solucionar mis problemas. Enciendo la vela y me concentro en la llama. Imagino que todo el estrés y los problemas surgen de mi interior formando una bruma negra que flota hacia la llama de la vela. De ese modo se consumen y se disipan en el humo. Lo repito todos los días hasta que dejo de necesitarlo.

¡Es simple, sencillo y funciona!

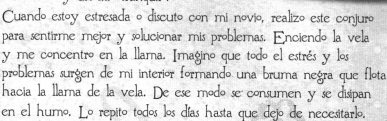

Venganza

Las pesadillas vuelven a perseguirme,
las mismas premoniciones que tuve antaño.

Los lirios aparecen en mis tenebrosos sueños
previniéndome de maquinaciones malévolas.

Deseo librarme de la culpa.
Veo a la muerte con tanta claridad que se me acelera el pulso.

Antes fue culpa mía, no tuve ocasión de despedirme,
pero te aseguro que esta vez no pienso dejar que muera.

Por Talia Helder

conjuro, s., magia, encanto, fascinación, encantamiento.

Para librarte de una pesadilla, repite estas palabras tres veces antes de acostarte:

Luces, apagadas.
Ojos, cerrados.
Dando vueltas y más vueltas,
mis manos están frías.

Sombras terroríficas,
lágrimas que fluyen,
voces que murmuran
y un grito hueco.

Libérame de este horror.
Hágase lo que ahora digo.

Samantha Trottier.

Despierta en la noche.

antes de que todos duerman,

concentrándome en los sueños

de visiones inquietantes que atraviesan mis

pensamientos.

Todo perece y no logro descubrir lo

que decían aquellas espantosas imágenes

que intentan sofocar mis gritos.

Revivo antiguas memorias

solo para recordar,

y pongo fin al empeño de contener las lágrimas.

Llorando,

indefensa,

con un dolor punzante en mi cabeza,

no puedo sino quedarme en la cama completamente

despierta.

Alexandra Worley.

Siéntate un rato, por Allie Costa:

¿Conoces a alguien que siempre se está moviendo nerviosamente? Esto animará a tu amiga (o enemiga) a sentarse un rato.

INGREDIENTES:
Una silla vieja • Una vela púrpura • Polvos mágicos.
Siéntate en los talones frente a la silla y coloca la vela en un punto equidistante entre esta y tú.

Enciende la vela.

Cierra los ojos y susurra el nombre de la persona y uno de sus rasgos positivos.

Apaga la vela.

Si no vives en el país de Nunca Jamás, puedes fabricar polvos mágicos enjuagándote la frente (mamá suele decir que no sudas, sino que ¡reluces!). Limpia el pañuelo en el asiento de la silla.

El conjuro ha terminado.

Embrujado
Por Steven Lee Climer

Flechas y manzanas envenenadas,
que tu amor hierva y burbujee.

Una maldición en los labios,
una píldora en la lengua,
una hierba, una verruga,
una friega de cataplasma.

¿Amas, odias y deseas?
Pues los encantamientos
y las pociones son obligadas.
Esparce la sal, invoca a tu dios;
una vela vigilante y un soplido protector.

Una pesadilla azul
y un sueño dorado,
posa y frunce los labios
antes de hacerte viejo.

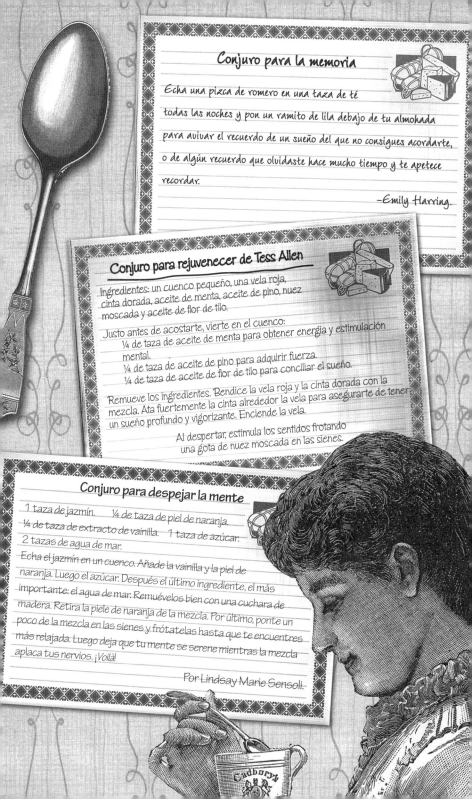

Conjuro para la memoria

Echa una pizca de romero en una taza de té todas las noches y pon un ramito de lila debajo de tu almohada para avivar el recuerdo de un sueño del que no consigues acordarte, o de algún recuerdo que olvidaste hace mucho tiempo y te apetece recordar.

—Emily Harring.

Conjuro para rejuvenecer de Tess Allen

Ingredientes: un cuenco pequeño, una vela roja, cinta dorada, aceite de menta, aceite de pino, nuez moscada y aceite de flor de tilo.

Justo antes de acostarte, vierte en el cuenco:
   ¼ de taza de aceite de menta para obtener energía y estimulación mental.
   ¼ de taza de aceite de pino para adquirir fuerza.
   ¼ de taza de aceite de flor de tilo para conciliar el sueño.

Remueve los ingredientes. Bendice la vela roja y la cinta dorada con la mezcla. Ata fuertemente la cinta alrededor la vela para asegurarte de tener un sueño profundo y vigorizante. Enciende la vela.

Al despertar, estimula los sentidos frotando una gota de nuez moscada en las sienes.

Conjuro para despejar la mente

1 taza de jazmín.   ¼ de taza de piel de naranja.
¼ de taza de extracto de vainilla.   1 taza de azúcar.
2 tazas de agua de mar.

Echa el jazmín en un cuenco. Añade la vainilla y la piel de naranja. Luego el azúcar. Después el último ingrediente, el más importante: el agua de mar. Remuévelos bien con una cuchara de madera. Retira la piele de naranja de la mezcla. Por último, ponte un poco de la mezcla en las sienes y frótatelas hasta que te encuentres más relajada. Luego deja que tu mente se serene mientras la mezcla aplaca tus nervios. ¡Voilà!

Por Lindsay Marie Sensoli.

Prisionera

Estoy desvelada, no logro
conciliar el sueño.
Las lágrimas resbalan sobre mis ataduras.
Estoy prisionera.
Gotitas de rubí brotan de mi alma.
Me encojo deseando que se vayan.
Estoy harta de sentirme perdida.
Que dejen de mirarme.
En algún momento anhelo
descansar, algún día, cuando
ya no sea prisionera

ADRA KRISTINA McBRIDE

Para el futuro:

A través del tiempo.
A través del espacio,
llévame a donde quieras,
llévame a cualquier lugar.

Corta la oscuridad,
cura a la luz.
Llévame donde quieras,
llega al anochecer.

Megan Pillow

POR EL PODER DE LA LUNA,
QUE DESAPAREZCAN MIS
PESADILLAS.

POR EL PODER DEL SOL,
QUE NO ME ROMPAN EL
CORAZÓN.

POR EL PODER DE LAS
ESTRELLAS,

LIBRADME DE ESTAS
CICATRICES, POR FAVOR.
BENDITO SEA EL CAMINO.

POR ANDREA ELIZABETH BUSCH.

poema, s., composición en verso
poeta, s., compositor de poemas

Que alegría conocer a una bruja.

La vida de una bruja es complicada

y difícil de observar sin prejuicios.

Existen personas que en nuestra existencia deciden no creer y muchas reglas debemos obedecer:

Todo lo que hagas volver a ti por triplicado. Y no has de perderte si recorres la senda de la mano izquierda.

Todas debemos descansar cuando la luna nueva ha de llegar.

Y hasta el día de fiesta tendremos que esperar.

Debemos amar a la Tierra con todo nuestro corazón.

Y es una alegría tanto el encuentro como la despedida.

Por Erica Colon

E

LA MAGIA ES LO QUE SOY,
LA LLEVO EN LA SANGRE,
ME AYUDA A SEGUIR ADELANTE.

LA MAGIA ME HABLA EN MIS PESADILLAS
DÁNDOME PISTAS PARA AYUDAR
A QUIEN ESTÉ EN APUROS.

SOY COMO SOY,
NO SERÍA YO SI NO TUVIESE LA MAGIA.
NADIE PODRÁ CAMBIARLO JAMÁS.

ESCRITO POR: DONNA

Atracción

Un nuevo conjuro amoroso.

Ingredientes:

- Una vela azul o rosa.
- Una rosa roja o rosada con tallo.
- Aceite de pachulí, rosas, jazmín o vainilla.

Corta una espina de la rosa con cuidado y clávala en el centro de la vela. Vierte en ella unas gotas de aceite. Cuando esta se haya consumido por completo, atraerás un nuevo amor en un plazo de veintiocho días, el ciclo entre una luna nueva y la siguiente.

Otras ideas amorosas:

Haz que florezca el amor plantando en la ventana una "maceta amorosa" con tulipanes, violetas, asteráceas, pensamientos y amapolas. Come alimentos que fomenten el amor, como albaricoques, cerezas y por último, aunque no menos importante, ¡chocolate!

Paula
Battiato

La noche estrellada despeja la mente.

La hermosa luna limpia mis impurezas.

La habitación iluminada
por la vela blanca
colma su beso de magia.

Andrea Elizabeth Busch.

El conjuro para los sueños plácidos.

Ingredientes: un cuenco pequeño,
barritas de incienso, aceite de
lavanda, canela y pétalos de tulipán.

Enciende el incienso y pasa todos los
ingredientes por encima de él.

Coge el cuenco y añade:
¼ de taza de aceite de lavanda.
Una pizca de canela.
Aplasta cinco pétalos de tulipán
(con los dedos).

Remueve todos los ingredientes, y ben-
dícelos con una vela púrpura y encién-
dela. Si tienes un pensamiento alegre
con el que te gustaría soñar, debes es-
cribirlo en una hoja de papel y ponerla
bajo la vela. ¡Dulces sueños!

Renee Voith.

Laurie Faria Stolarz creció en Salem, Massachussetts, asistió al Merrimack College y cursó un
Máster de Bellas Artes en escritura creativa en el
Emerson College de Boston. Además de *Azul para
las pesadillas* y sus secuelas, Laurie es la autora de
las novelas de literatura juvenil *Bleed* y *Project 17*.
Visita a Laurie online en www.lauriestolarz.com.

Foto por Sick Ashley

La historia de Stacy Brown continúa en

BLANCO PARA LA MAGIA

Ha pasado un año desde que Stacy Brown salvara a su mejor amiga de una muerte horrible. Pero sus pesadillas regresan, acosada por los fantasmas de las víctimas de una serie de asesinatos brutales... y por un acosador enloquecido. Al tiempo que conjura desesperadamente hechizos de sanación, un nuevo alumno llamado Jacob entra en el panorama. Guapo y misterioso, Jacob le confiesa que él también tiene sueños extraños. Para detener al asesino, deben unirse. Pero, ¿Podrá Stacy confiar en él? ¿O este nuevo amor hará que sus sueños más oscuros se vuelvan realidad?